ニッポンの数字

「危機」と「希望」を考える

眞 淳平 Shin Jumpei

★──ちくまプリマー新書

448

目次 ＊ Contents

〈凡例〉
・名称の、日本語／英語の表記では、読者の皆さんに知ってほしいもの、を示す。
・ただし企業名は、正式名称が英語である場合にも、日本語表記を先に示す（例外あり）。
・英単語の和訳で、長音符《ちょうおんぷ》を使うかどうかは、筆者の判断による。たとえば、「コンピューター」「マイノリティ」など。
・数字をどこで四捨五入するのか、小数点以下はどこまで表記するか、などに関しては、皆さんに知ってほしい数字を示す。
・「人」「ヒト」の表記について。「人」は、通常の意味での人間を指す。「ヒト」は、生物種のホモ・サピエンスを強調したい場合に使う。
・米ドルの円換算は、為替の変動があることを考慮して、行わないことにする。1ドル＝100～160円程度（その範囲外になることもある）でその規模をご想像いただきたい。
この場合、ドル表示の金額に100を掛け、その数割増しが円の金額、だと思うとよい。
★なお、文中文末に付す小数字は、出典・参考文献番号に対応する。出典・参考文献一覧は、紙《し》幅《ふく》の都合で、大変恐縮ながら、筑摩書房のウェブサイトに掲載する。
URL: https://www.chikumashobo.co.jp/product/9784480684738/
または、「ちくま プリマー新書」「ニッポンの数字」「注」で、ご検索ください。

はじめに

この国は今、どこにいて、これから、どこに向かおうとしているのか。

日本、そして日本を取り巻く周囲、の状況は近年、大きく揺らいでいます。

これが、どのように、どのくらい、変わっていくのか。さまざまな分野で。日本が。日本人が。世界が。ヒトが。そこには、多くの「危機」と「希望」があります。

こうしたことを考えていくために、本書では、その大半を使い、日本の6分野の現状を見ていきます。第1章：人口・社会、第2章：経済、第3章：環境問題、第4章：防衛・安全保障、第5章：AI、そしてロボット、第6章：最新医療、の順にです。その上で、終章で、日本と日本人、世界、ヒト、を取り巻く状況のこれから、について考察していきます。

本書では、関連する数字を示し、その意味や、歴史的な推移、将来の姿、を明らかにしていきます。ただしそこでは、数字だけをことさらに強調すること、はあまりしません。しかし、表示するどの数字にも、一定以上の意味があります。さらにまた、必要があれば、世界での日本の順位や立ち位置、海外の状況等も提示します。

2020年1月以降、日本と世界の社会・経済に深刻な影響をもたらしてきた出来事があります。「新型コロナウイルス感染症」（COVID-19。以下、新型コロナ）のパンデミック（世界規模での流行）です。

そこでは、多くの人がこれまで、歴史上のものだと考えてきた、ペスト（14世紀の欧州各地などで蔓延《まんえん》）やスペインインフルエンザ（スペイン風邪。1918年前後に、世界的に大流行）のような感染症が、現代の社会にも深刻な影響を与えること、が示されました。

今も続く、新型コロナとその影響、日本や世界の対応など、を調べてみると、この国と世界が抱える「危機」と「希望」が見えてきます。

たとえば、①危険な感染症のパンデミックが急拡大する現代社会の有《あ》り様《よう》。②新型コロナの特徴である「後遺症」の恐さ。③ウイルスが、超大国となった中国で最初に発見されたこと、の意味合い。④新たな医療技術の登場、などです。順に紹介しましょう。

まず①。新型コロナ、日本における感染者数は、23年5月8日時点での累計で3380万2739人。[1]死者の数は、同時点で7万4669人に上っています。[2]日本の総人口（日本人の人口に、国内滞在期間が3か月以上の外国人の数、を加算）は、23年5月1日の確定値で、1億2448万人ほど。[3] 単純計算では、日本の総人口の約3・7人に1人が同感染症を罹患《りかん》したことになります。そして、感染者の約453人に1人が亡くなっています。

世界では、新型コロナによる死者数の累計は、23年10月25日時点で697万4473人。感染者の約111人に1人、が命を失っています。[4]

新型コロナの最初の感染者が発見されたのは、19年12月1日、中国・湖北省武漢《ぶかん／ウーハン》市において。[5] そこからごくわずかの期間で、同感染症が世界中に拡大したのです。

背景には、「グローバル化」があります。たとえば、貿易額。ジェトロ（JETRO：日本貿易振興機構）によれば、21年のモノ（財）の輸出総額は、世界全体で21兆7534億ドル。20年ほど前の02年には、この数字が約7兆ドルで、以降、ほぼ右肩上がりの傾向が見られます。[6] モノの貿易規模が、20年弱の間に、3倍超に増えたことになります。

国際旅行客の数も、増加を続けています。新型コロナが世界中に蔓延する前の19年、この数は14・6億人でした。その20年前の1999年には6・3億人。以降、継続的に増えています。[7] 日本でも、同様の傾向が見られます。日本人出国者の数は、80年には391万人でし

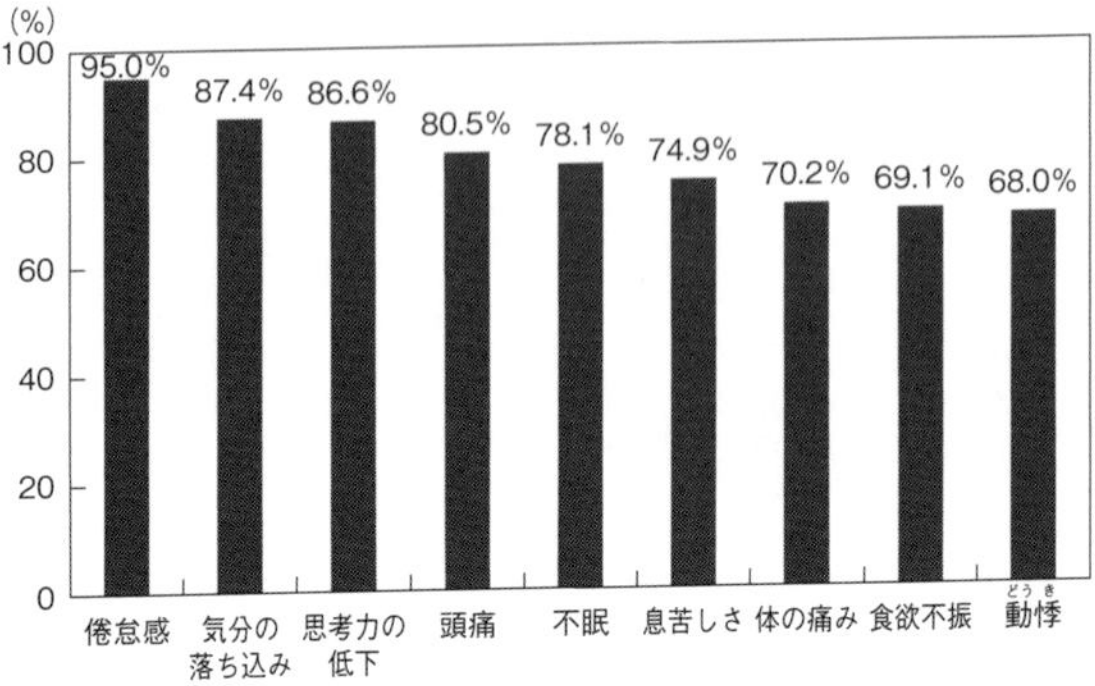

グラフ0-1　新型コロナの後遺症　通院者が訴える、新型コロナの後遺症は多岐にわたる（複数回答あり）。若い人にとっても、同感染症を軽視できない理由の1つは、ここにある　（資料提供）ヒラハタクリニック

たが、90年には1100万人。2000年1782万人。新型コロナの感染拡大が始まる前の19年には2008万人、に増えています。[8] こうした数字に代表されるグローバル化の進展が、新型コロナの感染急拡大につながっているのです。

②の「後遺症」の恐さ。後遺症は、米CDC（疾病《しっぺい》予防管理センター）によれば、感染から4週目以降も、倦怠感《けんたい》（強い疲れ）、集中力の低下、頭痛、などを始めとするさまざまな症状が続くこと、を指しています。[9]

その症状は、新型コロナの後遺症外来があるヒラハタクリニック（東京・渋谷）によれば、23年8月24日時点で、主流の「オミクロン株」（XBB1・16株、EG5・1株、同5・1・1株、GK1・

1株、を含む）では、通院者の訴える症状の多い順に、①倦怠感（95％。複数回答あり）、②気分の落ち込み（87％）、③思考力の低下（87％）、④頭痛（81％）、⑤不眠（78％）、などとなっています（グラフ0－1）。[10]

新型コロナの後遺症は、長く続く、という特徴も持っています。

医薬基盤・健康・栄養研究所（大阪府茨木市）などのチームによる、23年7月の発表では、発症初期に、頭痛や倦怠感、味覚障害があった人の約1割が、（後遺症のCDCの定義である4週目以降、ではないが）2週間を過ぎても後遺症が継続した、と言います。[11]

それによって、仕事に支障をきたす人も多数出ています。ヒラハタクリニックによると、23年8月24日までの時点で、発症時に仕事をしていた3307人の来院患者のうち、1402人（42％）が「休職」を余儀《よぎ》なくされた、と言います。さらに、解雇されたり、退職・廃業させられたりした人は320人（10％）。ここに、制限勤務や在宅勤務をせざるを得なくなった人、などを加えると、患者全体の69％に影響が及んでいました。[12]

また、若い人にも重い後遺症が現れること、がしばしばあります。同クリニックによると、

23年8月24日までに来院したオミクロン型感染者1919名のうち、最多が40代（25％）、続いて30代（24％）、20代（18％）、50代（16％）、10代（11％）、だったのです。[13]

23年10月末時点で、新型コロナの重症化率は、大きく変わっていません。そのため、新型コロナはもう心配する必要がないと思う、とくに若者、が増えています。しかし、この感染症の恐さの1つは、後遺症にあるのです。軽く見ることは厳《げん》に慎まなければなりません。

③では、新型コロナの「感染源」。感染の発生した中国が、国際社会の、関連情報を開示するよう求める声に、きちんと応えなかったこと、が問題化しています。

新型コロナに関して、多くの研究者が不思議に感じたのは、ウイルスがヒトに感染する際、足掛かりとする、ウイルスの「スパイクタンパク質」が、発見当初から、ヒトへの感染に妙に適合していたことです。

そのため、このウイルスはどうやって生まれたのか、研究機関や報道関係者が調査を続けてきました。そこでは、2つの可能性が指摘されています。

1つ目は、コウモリから、センザンコウや野ネズミなど何らかの媒介《ばいかい》動物を介して、ヒトへの適合性を獲得したという説。2つ目は、多数のコロナウイルスを研究していたことが明らかになった「武漢ウイルス研究所」で作成された新型ウイルスが、誤って流出してしまったという説。研究所が意図的に流出させたという説、を支持する専門家はごく少数です。[14]

これに関連して、科学ライターのローワン・ジェイコブソン氏は、米『ニューズウィーク』への寄稿で、次の事実を伝えています。①同研究所では、ヒトや実験用動物の細胞を対象に、「SARS《サーズ》ウイルス」に似た複数の新型ウイルスを使い、異種の動物間での感染によって、ウイルスがどう変異するか。感染力がどの程度変わるか、などを調べていた。②複数の異なるウイルスの、遺伝子の一部を結合させ、新たなウイルスを作製していた。その上で同氏は、③ウイルスが同研究所から流出したという説は、「かなり妥当な見解に思える」という米ワシントン大学の研究者の言葉を紹介しているのです。[15]

もしこの見立てが間違いなら、中国政府は、武漢ウイルス研究所で行われた研究の全体像を詳説《しょうせつ》すべきでしょう。しかし同国政府は、感染初期の時点で、外部の調査を許可せず、感染拡大から約1年後の21年1月14日、WHO（世界保健機関）の調査団10名が武漢を訪れたときには、ウイルス研究所にも、動物からヒトへの感染の可能性が指摘されている海鮮《かいせん》市場（華南水産卸売市場）にも、新型コロナ感染が始まった当時の様子を窺《うかが》わせるものは、何も残っていませんでした。[16]

中国のような大国が、国際社会の声をあえて無視した場合、その意志を変えることがいかに困難か、をこのケースはよく表しています。

一方、④の新たな医療技術として、「mRNAワクチン」などの新型ワクチンが登場したことには、光明《こうみょう》を見出《みいだ》すことができます。mRNAワクチンは、米FDA（食品医薬品局）が、新型コロナの世界的な感染拡大を受け、緊急使用を承認して、世に出た新薬です。

ヒトを含む地球上の生物は、生命維持のため、常に「タンパク質の合成」と「細胞分裂」を行っています。タンパク質合成と細胞分裂を、正確に行うことはとても重要です。「不正確」だった場合、その個体の生存が危うくなることもあるからです。このため、設計図である「DNA」（デオキシリボ核酸）は、細胞の「核」の中に保管されています。

タンパク質を作るときには、DNAの情報を「mRNA」（メッセンジャーRNA：リボ核酸）が写し取り（転写《てんしゃ》）、細胞内で（「tRNA」［トランスファーRNA］や「rRNA」［リボソームRNA］の作用を借り、）設計図通りにアミノ酸を結合し（翻訳《ほんやく》）、タンパク質を合成します。このような一連の働きを、生物学では「セントラルドグマ」と呼びます。

mRNAワクチンは、新型コロナがヒトの細胞内へ侵入する際、重要な役割を果たす、同ウイルスの細胞表面にある突起状《とっき》の「スパイクタンパク質」、をコードした（設計図となる）mRNA、を外部から投与するものです。

体内に入ったmRNAは、セントラルドグマの過程から、スパイクタンパク質を生成。すると、病原菌やがん細胞などから体を守る「免疫系」、がこれを感知して働き始めます。

まず、白血球の一種である「リンパ球」や、白血球に含まれる「樹状《じゅじょう》細胞」が、新型コロナウイルスが体内に侵入してきた、と判断。リンパ節で、「抗体」が大量に産生・備蓄《びちく》されるようになります。それによって、実際に、新型コロナウイルスに感染して、ウイルスが体内に侵入したときには、この備蓄してある抗体が、素早くウイルスを排除するのです。

mRNAの、ワクチンへの応用の技術開発に携わった、米ペンシルベニア大のカタリン・カリコ非常勤教授と同大のドリュー・ワイスマン教授は、23年のノーベル生理学・医学賞を受賞しています。

ここで注目すべきは、ｍＲＮＡワクチンの開発の速さでしょう。

新型コロナワクチンの場合、中国の科学者らが、ウイルスの遺伝子情報をインターネット掲示板に公開したのが、20年1月11日。米国の新興医薬品メーカー、モデルナは、ワクチン候補の設計を、そこからわずか2日間で完了してしまったのです。

さらに2月7日までに、ヒトを対象にした「臨床《りんしょう》試験」用のワクチンを製造し、ヒトに投与する前の「品質試験」を実施。2月24日に、第Ⅰ相《いっそう》臨床試験用のワクチンを米「国立衛生研究所」（ＮＩＨ）に送付。3月16日に、最初の被検者への接種を行いました[17]。

遺伝情報の公開から、臨床試験に向けた、ＮＩＨへのワクチン送付まで、わずか44日間です。それまでの、ワクチン候補の設計完了（遺伝情報の公開、ではない）から臨床試験の準備完了までの記録が、ＳＡＲＳのときの20か月（約６００日）でしたから[18]、ｍＲＮＡワクチンの開発の速さ、は際立っています。

そこで注目すべきは、こうした超早期の医薬品開発を可能にした手法です。

モデルナなどは、ＡＩ（人工知能）を使って、ワクチンとなりそうな物質の遺伝子の、２

D（2次元）・3Dでの配列・構成を予測。それが、ウイルスの特徴的な部位をコードするものとなるかどうか、をごく短期間で割り出したのです。

実はこのプロセス、別のワクチン開発についても適用できます。AIのアルゴリズム（演《えん》算《ざん》手法）を、研究を重ね、より改善していくことで、理論上は、何千種類ものワクチンを作り出すことができる、とモデルナのステファン・バンセルCEO（最高経営責任者：Chief Executive Officer）は語っています。[19]

さらに、新型コロナウイルスワクチンとして開発が進んでいるのは、mRNAワクチンだけに留《とど》まりません。説明は省きますが、組み換えタンパクワクチン、不活化ワクチン、ペプチドワクチン、DNAワクチン、ウイルスベクターワクチンなど、新たなワクチンが続々と登場しつつあります。[20]感染症と向き合う中で、人類が対抗措置を取ったのです。

日本の医薬品メーカーも、この領域で健闘しています。たとえば、23年9月7日時点で、第一三共、VLPセラピューティクス・ジャパン（東京・港）、Meiji Seikaファルマなどは「mRNAワクチン」を。塩野義製薬などは「組み換えタンパクワクチン」を。KMバイオロジクス（熊本市）などは「不活化ワクチン」を、それぞれ開発しています。[21]

ただし、日本の医薬品メーカーの規模は、残念ながら、欧米主要企業と比べて小さく、新型ワクチンの開発スピードは遅くなりがちです。欧米では近年、医薬品メーカーのM&A（合併・買収：Mergers and Acquisitions）が相次ぎ、巨大企業がいくつも誕生しています。一方、日本では、05年に第一製薬と三共が経営統合して第一三共が生まれて以来、大型の合併は見られません。このため日本企業は、資金力が大きく、技術力も高い欧米巨大医薬品メーカーに、ワクチン開発で先行を許しているのです。

このように、新型コロナを取り巻く状況一つを取っても、より子細《しさい》に観察すると、日本やこの国を取り巻く状況、を理解することができます。

本書では、数字を重視しつつ、日本の現状等を紹介していきます。そこでは、単に数字の羅列になることなく、紙幅《しふく》の許す範囲で解説を試みます。終章では、以上を通して見えてきた、今後の日本と日本人、世界、ヒトの未来、について考えていきます。そこには、いくつもの「危機」と「希望」があります。ただし、本文ではそれを、ことさらに強調したりはしません。皆さんには、お読みいただく中で、危機と希望を感じていただければ、と思います。

では、私たちが、今どこにいるのか。これからどこに行くのか。見ていきましょう。

第1章「縮みゆく」日本と、「問題多き」その社会

人口・社会

頂点を過ぎた日本の「総人口」

日本の「総人口」は近年、減少の一途をたどっています。この国が、縮んでいるのです。総人口とは、外国人を含め、国内に3か月以上住んでいる、または住むことになっている人の数。この国の総人口が「頂点」を迎えたのは2008年です。その時期の人口は1億2808万人。[1] 若干の減増を経て、11年以降、減少を続けています。

そして現在。23年9月1日時点の総人口（概算値）は1億2445万人。[2] さらに今後、減少の勢いが加速する可能性、もあります。

ちなみに日本の過去の人口は、歴史人口学の研究者、鬼頭《きとう》宏氏によれば、縄文時代早期（紀元前6100年前後）約2万人。同前期（前3200年前後）11万人。弥生時代（紀元200年前後）59万人。奈良時代（725年）451万人。平安前期（900年）644万人。慶長（1600年）1227万人。江戸時代（18世紀）3000万人弱〜3100万人強。[3] 明治時代以降、人口は急増し、明治45（1912）年には5000万人を超え、昭和42（196

7）年に1億人を突破しています。[4]

しかしそれは、平成20（08）年の1億2808万人を頂点に、減少に転じました。

将来の展望も、研究機関によって推計がなされ、結果が公表されています。

国立社会保障・人口問題研究所（社人研《しゃじんけん》。東京・千代田）が23年に公表した、最新の「将来推計人口」（令和5年推計）の中でも、もっともよく報道される「中位推計《ちゅうい》」（出生、中位・死亡中位）によれば、日本の総人口は、30年1億2012万人↓40年1億1284万人↓50年1億469万人↓60年9615万人↓70年8700万人、に減っていくと言います（グラフ1－1）。[5]

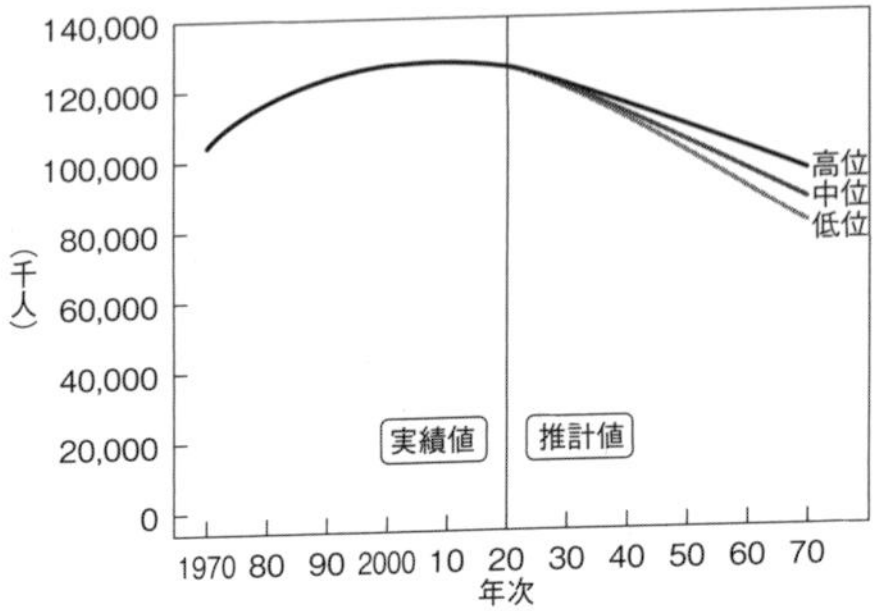

グラフ1-1　よく紹介される、日本の「将来人口」
国立社会保障・人口問題研究所が発表した「将来推計人口」（令和5年推計）の3つの推計（死亡中位）。中でも「中位推計」は、多くの人々・報道関係者が、こうなる可能性が高いと思い込んでいる。しかし、これはまったくの誤り。同推計の前提（後述）を知れば、それは明らか（出典）国立社会保障・人口問題研究所「日本の将来推計人口」

過去の「将来推計人口・中位推計」、は間違いばかり

人口の「将来推計」では一般に、その年の人口をもとに、翌年の人口を求めます。

翌年の人口は、①その年に生まれるとされる子どもの「予想出生《しゅっしょう》数」。②0歳以上の、翌年の「年齢別推計人口」。③その年に出入国する「予想人口」、を合計して算出します。

①は、④15歳の「女性人口」、に、⑤これまでのデータをもとに予想される「15歳の出生率」、を掛け、⑥その結果として、15歳の女性の生む「予想出生数」、を算出。⑦同じ計算を16～49歳まで、それぞれ行い、⑧結果を合算すること、で求められます。ここでは、各年齢ごとの「出生率」の予想が正しいかどうか、が予測の正誤に大きく関わってきます。

②は、各年齢の「男女別人口」に、翌年までの「男女別生残《せいざん》率」（1－死亡率）、を掛けた数、をすべての年齢で合計した数字です。そこでは、平均寿命の延びが勘案《かんあん》されます。

③では、日本の近年の、出入国者数の推移などをもとに、想定がなされます。

以上の①～③を合計すると、翌年の人口が算出されます。そしてこれを、その次の年、次の年、……と、1年ずつ繰り返して、将来人口を推計するのです。[6]

日本人の将来推計人口では、社人研と、その前身の厚生省人口問題研究所、が算出した

「中位推計」(出生中位・死亡中位推計)が、報道機関などからよく紹介されます。

しかし実は、同推計、これまでかなり誤った結果を出し続けています。

私は、1980年代前半の大学生時代、経済学部で「人口経済学」のゼミに所属していました。以来、私は、同研究所の将来推計人口、を継続的に注視しています。そこでは、現在まで一貫して、間違った計算結果が示されてきました。

理由は、同推計において、「1人の女性が生涯に生む平均こども数」=「合計特殊出生率」(の代表である期間合計特殊出生率。TFR:Total Fertility Rate)と呼ばれる重要な数字が、将来的にあまり低下しない、という前提で計算してきたこと、です。

ちなみにTFRは、ある年の、①予想される15歳の女性の「出生数」÷15歳の「女性人口」、を算出。②同様の計算を、16~49歳の女性についてそれぞれ行う。③出てきた数字を合計する。これで求められます。[7]

では、社人研の「令和5(2023)年推計」における「中位推計」を見てみましょう。

20年のTFRは、実測値(実際の数値)で1・33。中位推計では、これが、30年1・32→40年1・33→50年1・35、になるという前提の下で、計算が行われています(グラフ1

－2）。[8]

より正確に言うと、このTFR、①日本人女性が生む子どもの数と、②日本に住む外国人女性が日本人男性との間で生む子どもの数、を合算した上で、算出しています。[9] ただし、日本人の子どもの出生数全体、に占める②の割合は、1％弱と小さい[10]ので、詳説《しょうせつ》は省きます。

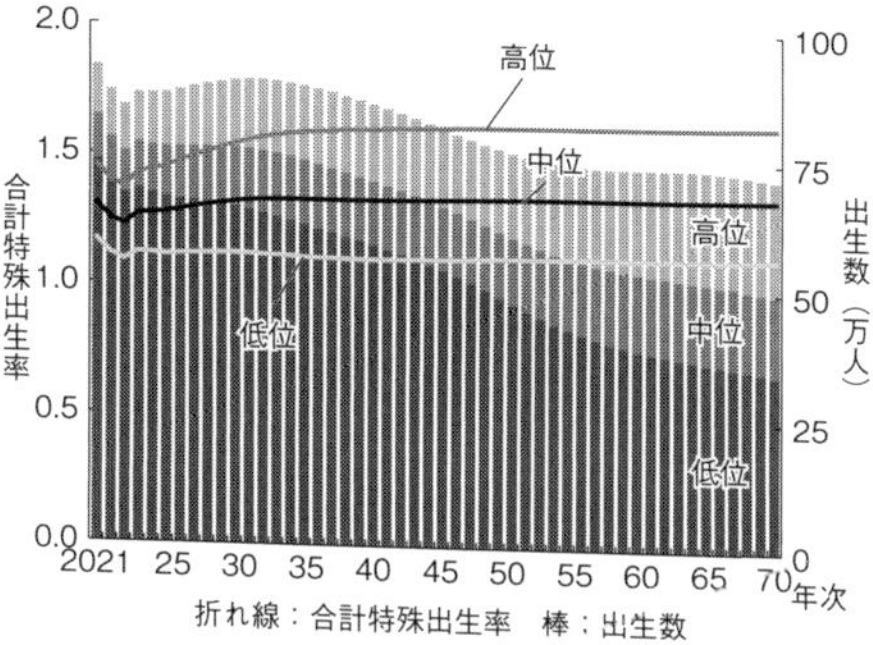

グラフ1-2 「将来推計人口」のもととなるTFR（合計特殊出生率）と、子どもの予想出生数　社人研の3つの推計では、TFRがこうなるという前提で計算を行っている。人口問題を考える際、ここは押さえておかねばならない　（出典）「日本の将来推計人口」

では過去、日本のTFRは、どう推移してきたのか。

1950年に3・65↓70年2・13↓90年1・54↓2010年1・39↓20年1・33、と減少を続け、直近の22年は1・26、です（グラフ1－3。[11] 社人研の「将来推計人口」は5年ごとに発表される。直近の23年推計は、20年のTFRをもとに計算がなされている）。

なのに、なぜ中位推計では、この減少傾向が

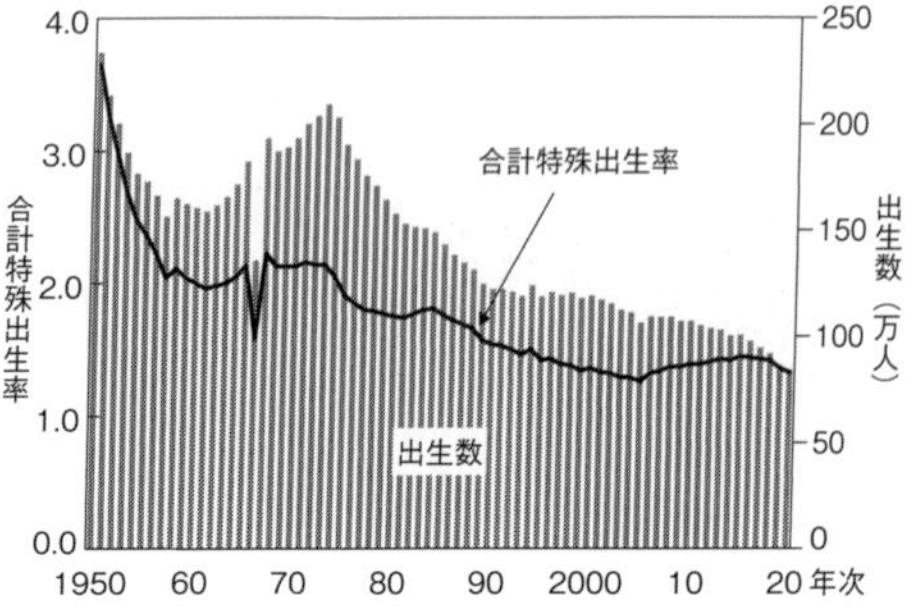

グラフ1-3　日本の過去のTFR（合計特殊出生率）と出生数の推移　どちらも大きく低下・減少してきたこと、がわかる。今後、日本のTFRが、韓国のように1を割る可能性も否定できない　（出典）「日本の将来推計人口」

1・33付近で止まると考えるのか。22年、同じ東アジアの、中国のTFRは1・09。韓国に至っては0・78（世界最低水準）となっています。[12]なぜ日本が、こうした水準に下がらないと考えるのか。社人研は、この問いに、説得力のある説明をしていません。実は同じことが、過去何十年も繰り返されてきたのです。社人研の「将来推計人口」では、それが改定される度《たび》に、ほぼ毎回のように、「将来のTFRの想定」が下方修正されています。[13]

他方、「低位《ていい》推計」と呼ばれる推計もあります。ここではTFRが、30年に1・12↓40年1・11↓50年1・12になるという前提、で計算が行われています。[14] 結果、日本の総人口が、30年に1億1918万人↓40年1億1068万人↓50年1億121万人になる、という予測結果が出ています（死亡中位のケース。グラフ1-1、1

－2）。[15]

「将来推計人口」の前提は、大雑把

ここまで読んだ人は感じるかもしれませんが、社人研の将来推計人口の根幹となるTFR、想定がかなり大雑把《おおざっぱ》です。そこではTFRが、中位推計では1・3強で、下位推計では1・12程度で、中長期的に変わらず推移する、という前提で計算をしているのです。これでは、当てになりません。

日本では、「将来推計人口」と言えば、「社人研」の「中位推計」、が報道されることが一般的です。しかし、この「中位推計」をもとにさまざまな議論を行うことは、もういい加減やめたほうがよい、と私は考えます。

政府が24年夏に公表予定の、年金の今後を示す、「年金の財政検証」は、社人研の将来推計人口の「中位推計」等に基づいて計算がなされます。[16]これは危険です。やめるべきです。

同推計（令和5年）の「中位推計」（出生中位・死亡中位）によると、日本の総人口が1億人を割る年は、56年。[17]「低位推計」（出生低位・死亡中位）では、52年とされています。[18]しかし実際には、40年代前半に1億人を切ること、も十分あり得ます。

また、人口だけでなく、どの分野においても、将来を予測したデータを見る際には、それを安易に信じ込むのではなく、予測の「前提」を調べ、その信頼性を考察する作業が不可欠なこと、は押さえておきましょう。将来推計・予測の前提は、政府などの発表資料では、白書等の書籍や、ウェブサイトの、最後近く、に書かれていることもあります。

ただし、2050年以降に関して言えば、その人口推移を予測することは困難です。

理由の1つは、第6章で紹介するように、ヒトの寿命・健康寿命が、医療技術の進化などにともない、延伸していきそうなことです。主流の研究者は、長寿者の従来の事例から、ヒトの寿命の限界は120歳程度だと考えています。しかし、それが変わる可能性もあります。

一方、社会や生態系には今後、さまざまな変化や危機が訪れます。この影響も未知です。

まずは日本の総人口が、①40年代前半に1億人を下回る可能性があること、は押さえておきましょう。さらに、後述しますが、②高齢者の定義が変わる。③定年制がなくなる。④転職が当たり前になる。⑤AIやロボットとの協業が普通のことになる。それらの確率が、きわめて高いことも知っておきましょう。

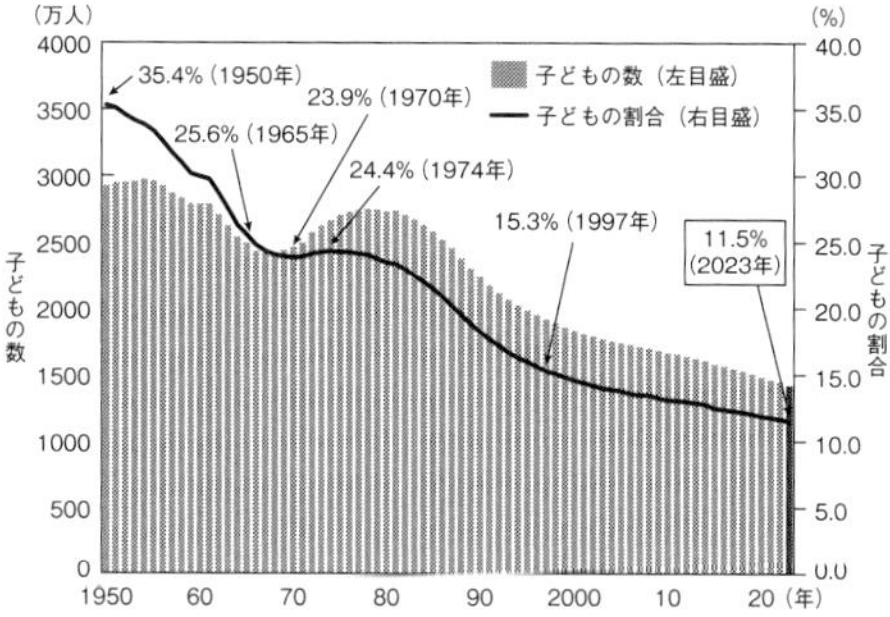

グラフ1-4　日本の「子ども」の数と割合は急減中
子どもの少ない社会は、社会保障の持続可能性が低くなるだけでなく、おそらく、「活気」に乏しい寂しい場所になる
（出典）厚生労働省「人口動態統計」

子どもが減り続ける国

日本では、子どもの「出生数」が急減しています。厚生労働省（厚労省）が発表した「人口動態《どうたい》統計」によれば、22年の出生数は77万759人。これは、信頼できるデータのある1899（明治32）年以降、最少です[19]。

並行して、15歳未満の「子どもの数」も1982年以降、42年連続で減少。23年4月1日時点で1435万人となっています。これは、ピーク時の1954年の半分程度。1899年の統計開始以来、最少を更新中です（グラフ1－4）[20]。

総人口に占める（15歳未満の）子どもの割合は11・5%[21]。同割合は国連によると、人口4000万人以上の国36か国中、最低です。[22]

少子化の原因としては、子どもを作る世代の日本の女性と男性が、社会的・経済的・生物学的・心理的要因などによって、子どもを作りづらいこと。あるいは、作りたいと積極的に考えていないこと、が挙《あ》げられます。

具体的には、①異性とつき合うことや結婚、に前向きでない若者の増加。②結婚したくても、経済的な要因その他によって結婚できない人の増加。③出産年齢の女性の人口減少。④晩婚化・晩産化の進展。⑤子どもを持つこと、あるいは複数の子どもを持つこと、を躊躇《ちゅうちょ》してしまう人の増加。⑥不妊《ふにん》、などの要因があります。

①内閣府の調査に、20代男性の4割近くが、異性と交際したことがない。[23] さらに、結婚歴のない30代独身では、男女ともに4人に1人が、婚姻《こんいん》の意志がない、と答えています。[24]
また、社人研の『将来人口推計報告書 23年版』には、生涯にわたって子どもを持たない人の割合が、2005年生まれ（23年に18歳になる）の女性の場合、最大42％に達すると推計される。男性は、同割合がさらに高く、5割程度になる可能性がある、と記されることが報じられています。これは、先進国でも突出《とっしゅつ》した数字です。[25]

②「婚姻件数」が減少傾向にあります。22年の数字は51・5万件。21年が50・1組、20年が52・6万件、15〜19年は60万件前後でしたから[26]、その減り様《よう》がわかります。

50歳時点で一度も結婚したことのない人の割合も近年、急増しています。同割合を「生《しょう》涯《がい》未婚率」と呼びますが、20年では男性28・3％、女性17・8％、となっているのです[27]。

そこでは、結婚できるか否かが、「経済的要因」と密接に結びついています。

23年度の「経済財政報告」によれば、職に就《つ》いている30代男性の場合、年収800万円以上の未婚率は17・3％。一方、年収100万円台では76・3％でした[28]。また、20年の数字で、男性の場合、正規労働者（正規）の生涯未婚率は19・6％。非正規労働者（派遣とパート・アルバイト。以後、非正規）では60・4％に上っています[29]。格差は明白です。

④「平均初婚年齢」を見てみましょう。20年時点で、男性31・0歳、女性29・4歳です。2000年では、男性28・8歳、女性27・0歳でしたから[30]、同年齢が直近20年の間に、男性で2・2歳、女性で2・4歳、上がったことになります。

「平均出産時《しゅっさんじ》年齢」も上昇しています。第1子を出産した時の女性の平均年齢を、00年↓20年で比較してみると、28・0歳↓30・7歳と、2・7歳上がっています。第2子、第3

子の出産年齢の平均値も、同様に上昇しています。[31]

⑤社人研の21年の調査では、18〜34歳の未婚女性の、希望する子どもの数が、調査開始以降、初めて2人を下回り、1・79人となっています。[32]

背景には、家事・育児に多くのお金や時間が掛かること。そして、それを厭《いと》う人が増えたこと。家事・育児に対して、夫の参加が少ないこと。仕事をしている女性が出産すると、収入が減少し、昇進も遅れがちなこと、などがあります。一例では、家事・育児への夫の不参加。総務省が21年に行った調査では、6歳未満の子どもがいる家庭で、1日当たりの家事・育児時間が、妻7時間28分に対し、夫は1時間54分に留《とど》まっています。[33]

「少子化対策」は始まったけれど……

少子化に関しては、政府も一定の対策を始めています。

代表例は、23年4月に「こども家庭庁」を設置したことです。

そこには、さまざまな府や省に分散していた、子どもと家庭についての政策、に関連する調整機能が集約されています。同庁の23年度の予算（前年度の国会で決定された「当初予算」）は、一般会計・特別会計の合算で、4・8兆円。そこに、前年22年度の「第2次補正予算」

を加えると、5・2兆円ほどになります。[34]かなりの規模だと言えるでしょう。子どもや家庭関連の政策が、一定程度、整合性をもって進められる、とされています。

ただし、「保育園」と「幼保連携型認定こども園」の所管が、こども家庭庁に移管された一方、「幼稚園」の所管が、幼稚園は教育機関だという理由で、文部科学省（文科省）に残されたことは残念です。[35]幼稚園（18年度、5歳児の43％が就園）、保育園（同41％）、同認定こども園（14％）[36]の有《あ》り方《かた》を機動的に見直していく際には、障害となり得ます。

また23年6月には、「児童手当」の拡充を含む、年間事業費約3・5兆円の「少子化対策」の実施が、閣議決定されています。しかし、財源は未定。[37]これが持続可能な政策かどうか、はわかりません。こども家庭庁や少子化対策予算、を注視し続ける必要があります。

少子化対策には、地方自治体の取り組みも重要です。

しかしそこでは、わずかの例外を除くと、成果を上げることができていません。

こうした状況に対して私は、自治体間で情報共有の仕組みを作る必要性を感じます。「子ども自治体会議」などと名づけ、有志の自治体が輪番《りんばん》で事務局となり、年1回程度、結婚や出産、子育てに関する成功事例を分かち合うとともに、専門家の意見等を聞くワークショップや会議を開くのです。参加自治体が、より多くの情報を得られるだけでなく、モチベーションを高められる可能性があります。以前、「環境自治体会議」という枠組みがありました。その子ども版です。取り組みに手を挙げる自治体が出てくることを願います。

「不妊」という重大事態

⑥多くの人は、「不妊」と聞くと、女性の問題だと考えがちです。しかし実際には、男女双方が問題を抱えています。

たとえば近年、男性に関連して、精子の数の減少、精子の形や動きの異常の増加、といった現象が目立ってきています。これについて、東京農工大学の高田秀重教授は、「環境ホルモン」が関係している、と語っています。

ホルモンは、生体内にあって、生命維持のための情報伝達を担う物質のこと。環境ホルモンは、環境中にある化学物質で、体内に入るとホルモンの働きを妨害するものを指します。

高田氏によれば、①環境ホルモンは、さまざまなプラスチック製品に含まれている。②それが、プラスチック製品の、飲食での使用によって、直接、人体に入り込んでいる。③プラスチック類が、陸上や海上などでごく微細な「マイクロプラスチック」に分解。それらが直接、人体に、あるいは、マイクロプラスチックを体内に取り込んだ魚貝類、を食べることで、間接的に人体に入っている、と言うのです。それが、精子の異常等の現象に結びついている可能性がきわめて高い、と同氏は見ています。さらに高田氏は、環境ホルモンが、女性の「子宮内膜症《ないまくしょう》」「乳がん」の増加、とも関係していると考えています。[38]

プラスチックの危うさ、についてもう少し続けましょう。

名古屋市立大学の杉浦真弓教授らの研究チームは、22年4月、「死産」と、「市販の弁当」「冷凍食品」を食べる頻度《ひんど》、に関連があること、を発表しています。これは、9万4062組の親子を対象にした、大規模調査の結果です。たとえば冷凍食品では、週に1回未満しか食べない妊婦の死産の頻度を、「オッズ比」と呼ばれる数字で1とすると、週に3～7回以上食べる妊婦のそれは2・170でした。冷凍食品を多く食べている妊婦は、死産する確率、が有意《ゆうい》に高かったのです。[39]

この現象に対して、高田氏は、人間の生殖に異常が出てきており、そこには、プラスチックの「添加剤」（つまり環境ホルモン）が関わっている、と述べています。[40]

こうした要因もあり、多くの女性が、不妊と向き合うことを余儀《よぎ》なくされています。

妻の年齢が50歳未満で、結婚後15〜19年の夫婦のうち、15・6％（6組強に1組）が不妊の検査や治療を受けたことがある、とされています[41]。その結果、19年に国内で、「体外受精」「顕微《けんび》授精」によって生まれた子どもの数は、6万5988人[42]。同年の出生児の数が86・5万人です[43]から、その約7％。14人に1人近くが、こうした治療で生まれています。

政府もこれには注視していて、22年4月から診療報酬を改定。標準的な不妊治療への「保険適用」を始めました[44]。


とは言え、不妊治療は、妻の側に大きな負担を強います。治療では、排卵《はいらん》誘発剤の注射や超音波検査、ホルモン検査、採卵、培養した受精卵を子宮に戻す胚《はい》移植、などといった多くの過程があり、仕事を何度も休む必要が出てきます。これによって、不妊治療経験者の16％、が仕事と両立できずに離職をしている、という調査結果もあります[45]。不妊治療に関しては、政府の経済的な支援だけでなく、雇用者側の、そして社会全体のサポートが不可欠です。

結婚した3組に1組が離婚

近年、「離婚」の絶対数、は減っています。その数は、02年の約29万組を頂点に、減少を始め、20年には19・3万組。[46] これは、20年の婚姻数52・6万組[47]の36・8％に当たります（四捨五入あり）。ただしこの36・8％は、20年の離婚数を、単純に、同年の婚姻数で割った数字。実際に結婚した夫婦が、どの程度の割合で離婚しているか、を示す数字ではありません。

そこで、社人研の岩澤美帆氏が、1985年以降に結婚した夫婦が、2020年時点で離婚していた割合、を調査したところ、約28％だったことが明らかになっています。[48] 実際に、結婚した3組に1組近くが、離婚していたのです。

この状況の中で毎年、約20万人の未成年者が、両親の離婚を経験しています。[49]

多くの場合、子どもは母親と一緒に暮らすことになります。こうした母子世帯、の大半が貧困に苦しんでいます。そこには、別れた父親が養育費を渡さない、という現実もあります。21年の厚労省の調査では、離婚した母子家庭で、父親から養育費を一度も受け取っていない割合は57％。継続して受け取っている家庭は、わずか28％に過ぎません。[50]

また同調査では、離婚後に、子どもがもう一方の父母に会う「面会交流」、を行っているのは母子世帯で30％。父子世帯で48％、に留《とど》まることもわかっています。[51]

日本の総人口の、3・5人に1人が高齢者

この国で、少子化と並行して進んでいるのが「高齢化」です。

「高齢者」とされる65歳以上の人の数は、20年の数字で3603万人。[52] 総人口に占める高齢者の割合である「高齢化率」は28・6%です。[53] これは、総人口の約3・5人に1人が高齢者だということ、を意味しています。ちなみに、00年の高齢者人口は、2201万人。[54] 20年間で、高齢者の数が6割以上増えています。

これは、主要先進国と比べても、高い水準です。国連が19年に示した、20年の推計値で、米国は16・6%。英国18・7%。フランス20・8%。ドイツ21・7%。スウェーデン20・3%。韓国15・8%、となっています（ちなみに同推計では、日本の高齢化率は28・4%）。一方、中国は12・0%。[55] しかし同国は、1979年から2014年まで実施された「一人っ子政策」によって、生める子どもの数を1人に制限。その影響が、今も続いているため、今後、高齢化率が急上昇する、と見られています。

男性の半数が85歳近くまで、女性の半数が90歳以上まで生きる日本

日本における高齢化の背景には、日本人の「寿命」（平均寿命）が延び続けていること、があります。平均寿命とは、0歳の子の「平均余命《よめい》」。0歳の子が、平均してあと何年生きるか、を予測した数字です。計算方法は、やや複雑なので、ここでは紹介を省きます。

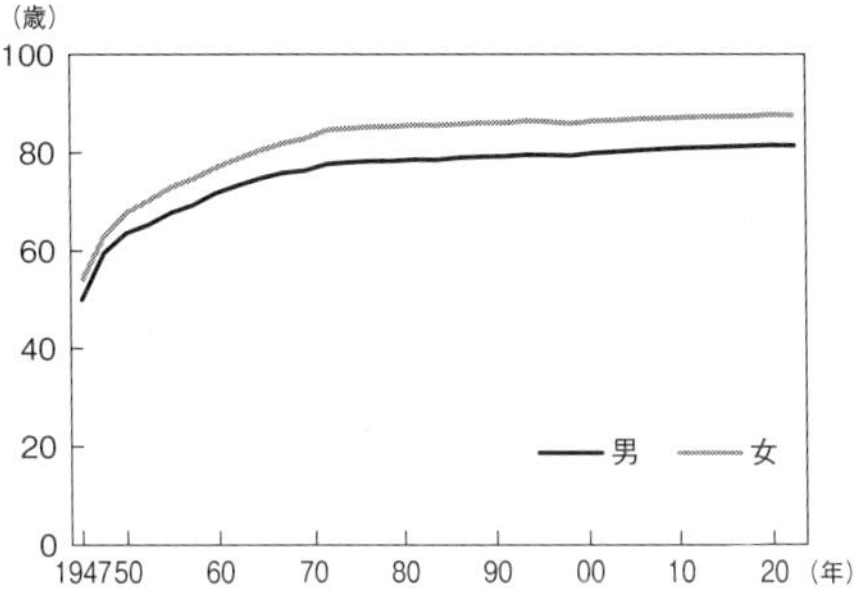

グラフ1-5　日本人の平均寿命の推移　1950～2022年の72年間に、平均寿命が、男性1.397倍に、女性1.416倍に延伸。年率に換算すると、男性0.47%、女性0.48%の延び。また同期間中、男性3.12年、女性2.81年ごとに、平均寿命が「1歳」延びている　（出典）厚労省「完全生命表」「簡易生命表」

過去の推移を見ると、第2次世界大戦終結から5年後の1950年では、男性58・00歳／女性61・50歳。以後、80年73・35歳／78・76歳→2000年77・72歳／84・60歳→22年81・05歳／87・09歳、と延伸しています（グラフ1－5）。[56]

今の、日本人の平均寿命は、世界で最高水準です。

寿命には、「中位数《ちゅういすう》」と呼ばれる数字があります。たとえば、日本人男性の寿命の中位数であれば、同人口を仮に6000万人とすると、寿命が上から3000万番目の人、の寿命（正

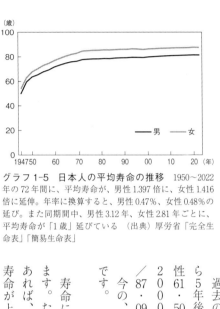

確には、３０００万番目と３０００万1番目の人、の寿命の平均）です。乳幼児や子どものとき、青年期、中年期などに死亡する人もいること。超高齢になると、死亡率が一気に増える（１１０歳までにほとんどの人が命を失う）こと。そのため、日本でも、他の国でも、寿命の中位数は、平均寿命よりも高いこと、が一般的です。

厚労省が作成する「簡易《かんい》生命表」と呼ばれるデータ、でこれを見ると、21年では、男性が84・39歳、女性90・42歳、となっています。[57]日本人男性の半数が「85歳近く」まで、女性の半数が「90歳以上」まで生きているのです。

この国の寿命の実態を知るためには、中位数にも注視する必要があるでしょう。

さらに22年の数字で、80歳以上は、総人口の10・１％に当たる、１２５９万人。[58]日本は、10人に１人強が80歳以上の国、となっているのです。

働く世代が減り続ける

現役世代（15〜64歳）の人口である「生産年齢人口」、の減少も深刻な状況です。

同人口は、20年の国勢調査で７５０８万７８６５人（日本人の約60％）。[59]これは、65歳以上の高齢者の数の約2・1倍。2人強の現役世代が支える社会に、高齢者が1人いる、という構図です。

20年は、15年の前回調査と比べて227万人弱（3％）、同人口のピーク時である95年（8716万4721人）と比較すると1200万人以上（14％）、減っています[60]。

こうした高齢化の影響は、「社会保障制度」に及んでいます。

「国民医療費」の急増は、典型例です。20年度の数字で、その規模は42兆9665億円。2000年が30兆1418億円でした[61]から、20年間で1・5倍近くに増加しています。国民医療費は、1954年（2152億円）からの66年間、一貫して増え続けています[62]。

「年金制度」も同様です。日本の年金制度は「賦課《ふか》方式」と呼ばれています。これは、その時々の保険料収入を、年金支給の財源にする、というもの。現役世代から年金受給世代への仕送りに似た制度、だと言えます。2・1人の現役世代が1人の高齢者を支える現状、は持続可能でしょうか。

高齢化率は、今後も増加していきます。20年の高齢化率は、前述したように28・6％。これが、たとえば社人研の中位推計では、30年30・8％↓40年34・8％↓50年37・1％、に増えていくと言います。[63] 現役世代と高齢者世代の人口比較では、30年1・9人：1人↓40年1・6人：1人↓50年1・4人：1人。[64] 現役世代の負担は、今まで経験したことのない重さになるのです。しかも社人研の中位推計は、前述したように、TFRの低下を甘めに見積もっている可能性が高いでしょう。そのため、子どもと現役世代の数が、中位推計よりも急速に低下する。つまり、高齢化がより速く進行する、と思われます。

若くなってきた近年の高齢者

ただしそこには、「希望」もあります。健康上の問題によって日常生活が制限されることなく生活できる期間、とされる「健康寿命」、が急速に延びているのです。

たとえば、01年↓19年の18年間に、男性が69・4歳↓72・7歳と約3・3歳。女性は72・7歳↓75・4歳と約2・7歳、延びています。[65] 日本人（他の多くの国でも同様ですが）は、若く健康になりつつあるのです。

ここで、漫画『サザエさん』の父親・磯野波平《なみへい》さんにご登場いただきます（図1－1）。年齢はいくつだと思いますか。答えは54歳。[66] 今の54歳は、もっと若いですよね。

健康寿命の延びは、今後も続くでしょう。結果、現在、高齢者とされている人々が、将来的に、より元気になり、より多く労働市場《しじょう》に留《とど》まり続けるようになりそうです。

実際、22年には、65歳以上の高齢者の「就業者数」が912万人となり、04年以降、19年連続で増えています。[67] 60歳以上の「就業率」も並行して、増加し続けています。21年の数字で、60〜64歳72％（11年の1・3倍）、65〜69歳50％（同1・4倍）、70〜74歳33％（1・4倍）、となっているのです。[68]

結果、22年の就業者全体に占める、高齢者の割合は13・6％。[69] 7人に1人弱。

企業の側も、高齢の人たちを、積極的に雇用する傾向が見られます。厚労省が実施した、従業員21人以上の企業を対象にしたサンプル調査によると、22年6月時点で、66歳以上まで働ける制度のある企業は、全体の41％。70歳以上までは39％。定年制を廃止した企業は4％でした。[70] これらの割合は、増加傾向にあります。[71]

図1-1　終戦直後の54歳　今から80年ほど前、1946年7月24日付の地方紙『夕刊フクニチ』紙上の『サザエさん』で描かれた波平さん。ヒトが、近年、若くなりつつあることがわかる。 ©長谷川町子美術館

74歳が「高齢者」ではなくなる日

こうした傾向を見て、「高齢者の定義」を変えるべきだ、とする意見も出ています。

日本老年学会・日本老年医学会は17年、高齢者の定義を、現在の「65歳以上」から、「75歳以上」に引き上げるよう、提言しました。そして、65〜74歳を「準高齢者」、75〜89歳を「高齢者」、90歳以上を「超高齢者」と呼ぶよう、説いたのです。[72]

また、21年4月から施行《しこう》された「改正高年齢者雇用《こよう》安定法」により、「70歳までの就業確《かく》保《ほ》措置」が、企業の「努力義務」（そうすべき、の意。義務ではない）となりました。[73]

ただしこうした流れの中でも、定年の有《あ》り方《かた》については、丁寧《ていねい》な議論が必要です。

これ以上、長い期間を働くのは嫌だと考える人に、社会がどう対処すればよいのか。仕事で必要とされるスキルが急速に変わりつつある今後の社会で、「リスキリング」（学び直し。知識や技能の習得）をどう浸透させればよいのか、など検討すべき点は多々あります。

とは言え、第6章で見ていくように、今後、10年単位で見れば、日本の（そして世界の）寿命・健康寿命は、急速に延びていく可能性が高い、と思われます。定年制は、前述したように、10年〜20年の単位で考えると、徐々になくなっていくのではないか、と予想します。

リスキリングに関しては、気になるデータも見られます。

パーソル総合研究所が22年に、東アジアの5か国・地域、東南アジア6か国、米印豪、英独仏、スウェーデンの18か国・地域の各1000人を対象に行った大規模調査。そこで、「勤務先以外での学習・自己啓発に対する『自己投資』をしているか」を尋ねた問いに、「現在しておらず、今後もする予定がない」と答えた人の割合です。日本は、42%。一方、20%を上回った国・地域は、他に1つもありませんでした[74]。

高齢化とは別の話ですが、この国の将来が不安になります。

「外国人労働者」が重要な役割を果たす

日本社会で、「外国人労働者」の存在が大きくなっています。

厚労省によれば、22年10月末の数字で、外国人労働者の数は182万人[75]。08年の調査では49万人でした[76]から、わずか14年間で、その数が3・7倍以上に増えたことになります。外国人労働者を雇用する事業所の数は、29・9万施設[77]。労働者と、その受け皿、ともに増加傾向にあります。

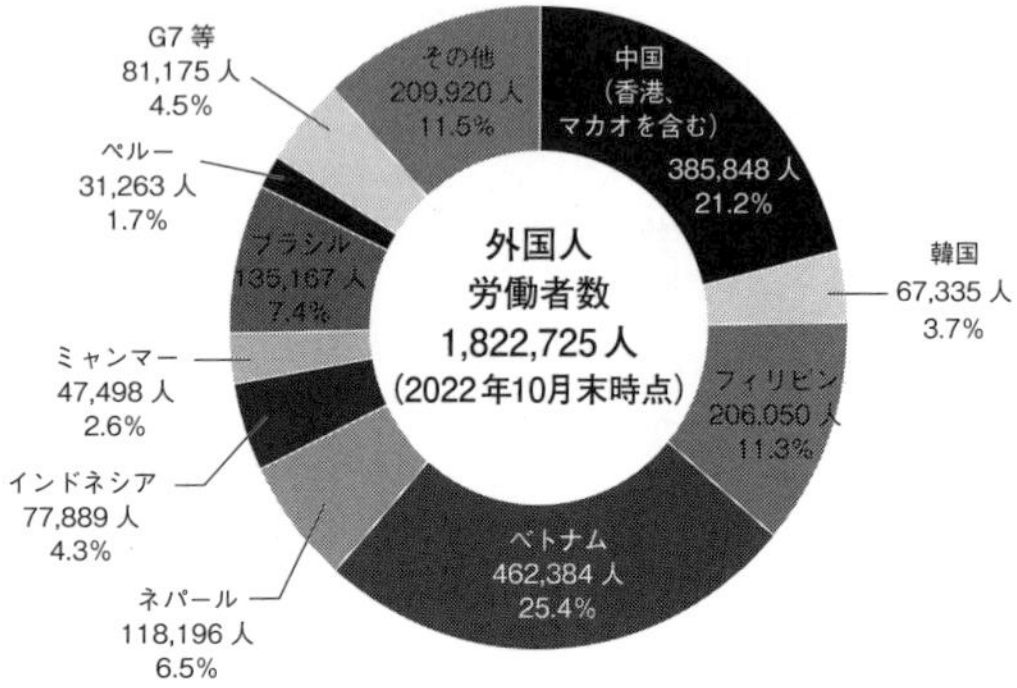

グラフ1-6　国内の外国人労働者の国別割合　近年、中国の経済発展に伴って、同国からの労働者は減少傾向。中国と同じことは、他の国でも起きる可能性が。日本の社会や企業は、外国人が働きに行きたいと思える環境を整える必要がある　（出典）厚労省「『外国人雇用状況』の届出状況まとめ」

出身国のトップは、同時点で、「ベトナム」46万人（全体の25％）。次が「中国」（香港、マカオを含む）で、39万人（同21％）です。中国人は、自国の経済成長に伴って近年、日本での在留者数が減少傾向にあります。続いて、「フィリピン」21万人（11％）、「ブラジル」14万人（7％）、「ネパール」12万人（7％）、などとなっています（グラフ1－6）[78]。

外国人労働者が働く業種では、もっとも多いのが「製造業」で27％。次が、「サービス業」（他に分類されないもの）16％。さらに、「卸売業・小売業」13％、「宿泊業・飲食サービス業」12％、と続きます[79]。

外国人労働者の「在留《ざいりゅう》資格」の内訳は、

同時点で数の多い順に、①身分に基づく在留資格60万人（33％）。②専門的・技術的分野48万人（26％）。③技能実習34万人（19％）。④資格外活動（留学生を含む）33万人（18％）。⑤特定活動7万人（4％）、などとなっています。[80]

③の「技能実習」は、批判のある制度です。これはもともと、日本で培《つちか》われた技能や技術、知識などを発展途上国に移転し、その国の経済発展を担う人材づくりに寄与すること、を目的として創設されたもの。しかし同制度には、問題が山積しています。

たとえば、就職先の変更ができないため、雇用者側が、低い賃金で、長時間労働を強いるような事例が頻発《ひんぱつ》しているのです。厚労省によれば、20年には、約５７００事務所で労働基準法や労働安全衛生法に違反する行為が見つかった、と言います。[81] 賃金の不払いや、違法残業の強要、などが恒常的に起きていること、を反映しています。

また、日本との間を取り持つ、現地の「送り出し機関」が、多額の仲介手数料（日本円で１００万円前後に上るケースも）を要求するため、日本に来た段階で、技能実習生が大きな負担を抱えている場合も多いこと、が報告されています。[82] 出入国在留《ざいりゅう》管理庁の22年7月の調査では、借金をしている技能実習生の割合は55％、借金額の平均は54・８万円でした。[83]

それを返済するための仕事が、前述のような悪い環境です。このため、失踪《しっそう》する人たちは、年に数千人規模で発生していて、22年にはその数が9006人に上っています。[84]

米国務省の『2021年人身取引報告書』は、日本の、技能実習を含む外国人実習制度について、「虐待的な労働慣行」(abusive labor practices)、「強制労働犯罪」(forced labor crimes)があるとして、非難しています。[85]

政府も23年になって、同制度の見直しに向け、舵《かじ》を切り始めました。一環として、政府の有識者会議は、同年4月、制度を廃止し、転職を一定程度認めるような新制度の設立、を提言しています。[86]外国人労働者の人権と、社会的公正、が守られるような新制度ができること、を望みます、が。

毎年、100万人が罹患する「がん」

ここからは、日本の「死」について、少し触れましょう。

私たちの国では、22年に156万9050人が亡くなりました。[87]

死因の上位10は、①がん(悪性《あくせい》新生物)39万人(25%)、②心疾患《しんしっかん》23万人(15%)、③老衰18万人(11%)、④脳血管《けっかん》疾患11万人(7%)、⑤肺炎7万人(5%)、⑥誤嚥性《ごえんせい》肺炎6万人(4

%）、⑦不慮の事故4万人（3%）、⑧腎《じん》不全3万人（2%）、⑨アルツハイマー病2万人（2%）、⑩血管性等の認知症2万人（2%）、です（グラフ1－7）[88]。

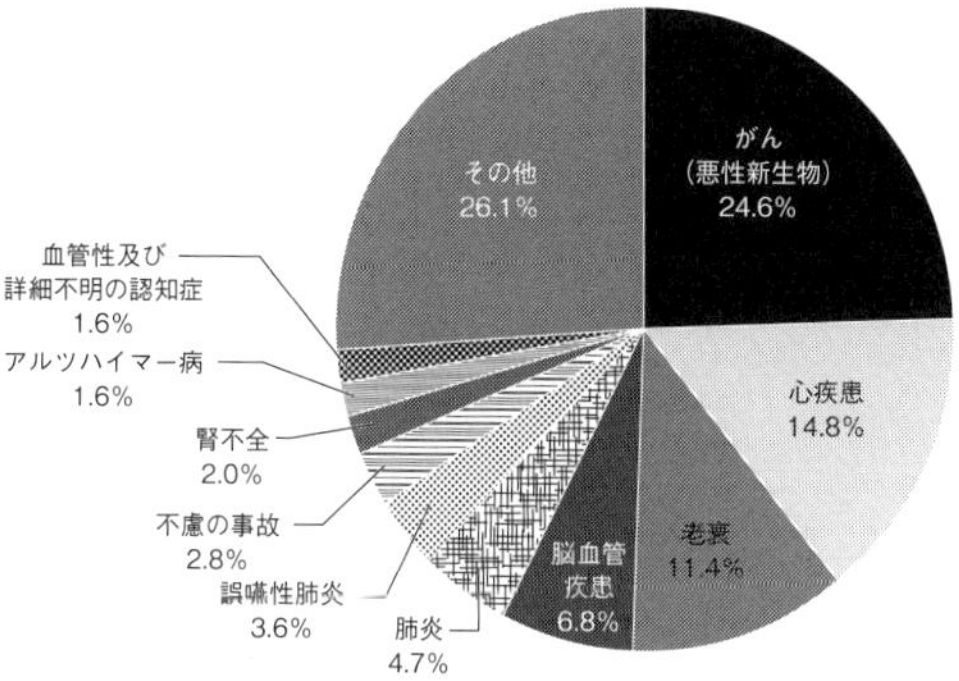

グラフ1-7　日本人の死因（22年）　心疾患（2位）や脳血管疾患（4位）は、食習慣や運動習慣（つまり運動不足）、休養、飲酒、喫煙などが関与する「生活習慣病」、が原因の1つとなっている。こうした習慣を改善することで、寿命・健康寿命を延ばせる可能性がある　（出典）厚労省「人口動態統計」

1位の「がん」は、さまざまな部位に発症するがんの総称です。その罹《り》患《かん》者の多さは際立っています。すべての種類を合わせると、年間100万人前後の日本人が、がんを発症しています[89]。国立がん研究センターの統計では、日本人が一生のうちにがんと診断される確率は、男性66%、女性51%[90]。日本人が、がんで命を失う可能性は、21年の数字で、男性26%、女性18%、に上ります[91]。

ただし、がんの「5年生存率」は、男女ともに、90年代後半から増加しています[92]。

「自殺」の多い社会

日本では、「自殺」が大きな問題となっています。

国内では22年、2万1881人が、自ら命を絶ちました。[93] これは同年の、日本人の死因の10位「血管性及び詳細不明の認知症」2万4360人[94]と大きく変わらない数字です。うち、男性は1万4746人、女性は7135人でした。[95]

自殺者数の推移を見ると、第2次世界大戦の終結（1945年）以降、最多は03年の3万4427人。これ以降、概《おおむ》ね減少傾向が続いています。[96]

とは言え、世界各国との比較では、日本のこの数字は大きな水準です。WHO（世界保健機関）によれば、日本の19年の、人口10万人当たり自殺死亡者数は15・3人。G7（先進7か国。日米英独仏伊《い》加）の中で、米国（16・1人）に次ぐ2番目。もっとも少ないイタリア（6・9人）の2倍以上、に上っています。世界の中では、データのある188か国・地域中、多い方から28番目です。この数字が日本よりも多い国は、アジアやアフリカなどの低所得国が多く、先進国では、韓国（28・6人）、リトアニア（26・1人）、ラトビア（20・1人）、スロベニア（19・8人）、ベルギー（18・3人）、ハンガリー（16・7人）、米国（16・1人）の7か国だけです。[97]

22年の自殺者の年代は、20代~80代以上のそれぞれで、2000人台~4000人強。20代2483人、50代4093人（年代別では最多）という状況にも心が痛みますが、80代以上が2490人、自ら命を絶っていることには、この国の闇を見る思いです。[98]

自殺の理由（複数あり）は上から、健康問題（1万2774人。難病、体の痛み、うつ病などの精神疾患等）、家庭問題（4775人）、経済・生活問題（4697人）、勤務問題（2968人）。この4要因がほとんどを占めています。[99]

「殺人事件」は多いのか？

「殺人事件」、が毎日のように報道されます。日本は殺人大国なのでしょうか。

警察庁によれば22年、「殺人」の「認知件数」（警察などによって、犯罪の発生が明らかになった事件の数）は853件。[100]過去を見ると、第2次世界大戦の終結（1945年）以降、増加を始め、頂点は54年の3081件。以降は、概ね減少傾向にあります。近年は、15年に1000件を割って以来、800~900件台で推移しています（グラフ1-8）。[101]

世界各国・地域との比較では、国連の21年（同年の統計データがない国は20年）の数字で、

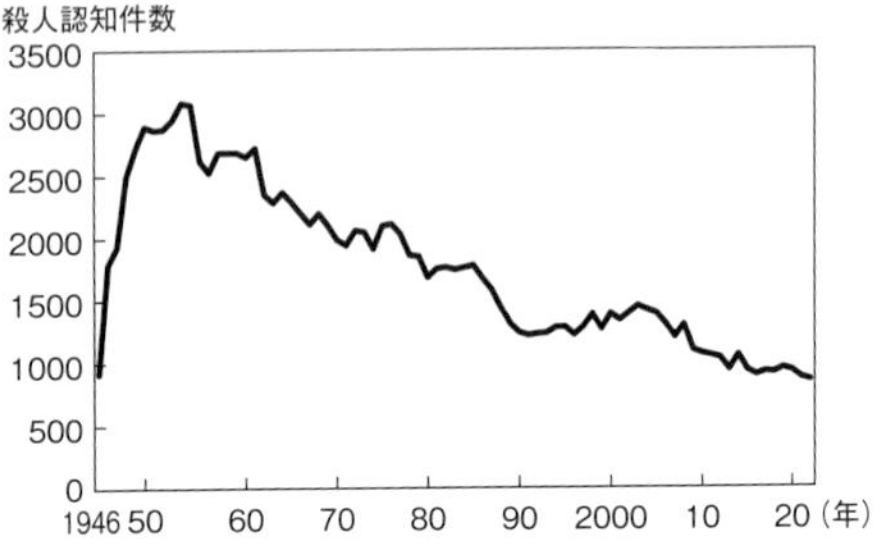

グラフ1-8　日本での殺人件数の推移　近年は、1000人を下回っている。殺人事件が起きる危険性、日本は世界最少レベル。テレビなどで、しばしば殺人事件が報じられるのは、事件の重大性と、それが稀《まれ》だからでもある　（出典）警察庁「犯罪統計資料」など

日本は、人口10万人当たりの殺人被害者数が0・23人。統計データのある世界136か国・地域のうち、これを下回るのは、バチカン（0人）、中東のバーレーン（0・07人）、シンガポール（0・10人。監視国家として有名）だけです。[102]統計データのない国は、国内の統治体制が整備されていないところでしょう。被害者数は、多いと思われます。日本はおそらく、殺人事件が、世界でも4番目に少ない国、なのです。

また、殺人の「検挙《けんきょ》件数」を見ると22年の数字で、817件。[103]ここには、21年以前の殺人事件の検挙件数も含まれています。そのため、同年の認知件数と検挙件数とを単純比較して「検挙率」を算出するのは、分析として正確さを欠きますが、この割合は約96%。21年には101%でした。[104]つまり、ほとんどのケースで、容疑者が逮捕されているのです。

近年は、監視カメラが、全国の市街地などのあちこちに設置されています。また捜査には、DNA鑑定を含む最新の科学技術が投入されます。殺人事件が発生し、もしそこに凶悪性があれば、担当者100名以上から成る「捜査本部」が立ち上がることもあります。とても逃げ切れるものではありません。

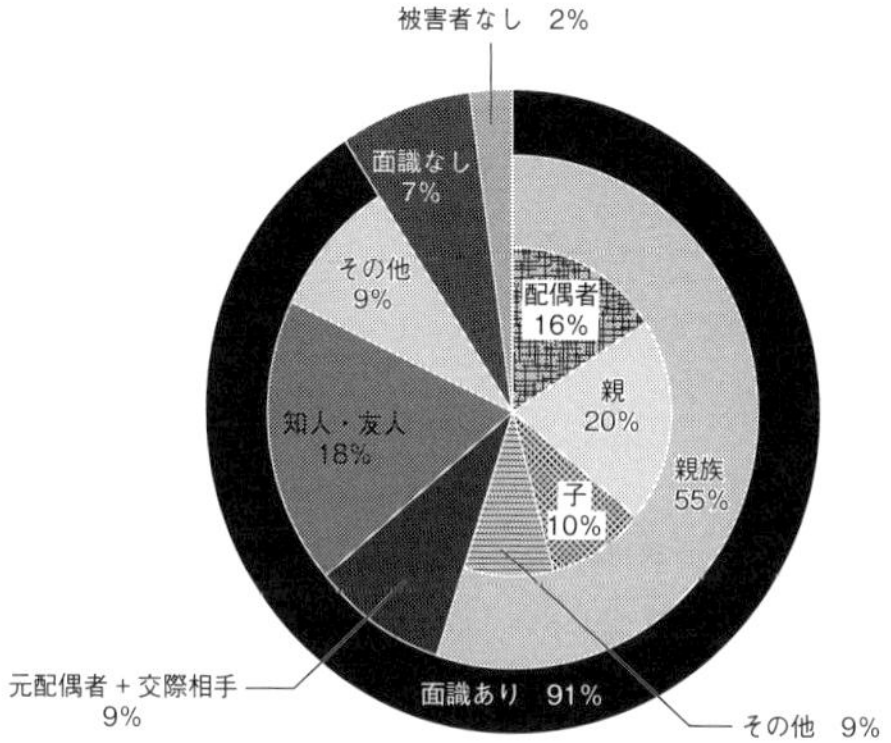

グラフ1-9 誰が殺人事件の犯人なのか？（2021年）
他殺で亡くなった人の55％が、親族（被疑者）による殺人。ただし、殺人件数の規模自体が小さいことも、押さえておく必要が （出典）警察庁「刑法犯に関する統計資料」

では日本では、通りを歩いていたり、公共交通を利用したりしているときに、見ず知らずの人間に殺されるような事件、は多いのか。

警察庁によれば21年、殺人で検挙した件数のうち、既遂《きすい》（被害者が亡くなったケース）は231件（未遂は577件[105]）。既遂事件のうち、被害者と被疑者《ひぎしゃ》が面識のあった事件は、210件（91％）。その被疑者の上位5つは、親47件（20％）。知人・友人42件（18％）。配偶者37件（16％）。子22件（10％）。交際相手16

件（7％）。

親、子、配偶者、兄弟姉妹、その他からなる「親族」は、合計で１２７件（55％）。殺人で亡くなった人の半数以上が、親族によって命を絶たれていました。

一方、面識のない犯人による事件は、16件（7％）でした（あとの5件は、被害者が特定されていない事件）（グラフ１－９）[106]。

今挙げたそのどれも、痛ましい数字です。しかし日本では、知らない人にいきなり襲われ、命を奪われるというケースは、ゼロではないにしろ、かなり少ないことがわかります。

世界でも有数の「男女格差」

「格差」の話に移りましょう。日本では、「男女の格差」が大きな水準となっています。

「世界経済フォーラム」が23年6月に発表した「ジェンダー・ギャップ指数２０２３」。日本は、調査した１４６か国中１２５位。下から22番目でした。日本のこの順位は、先進国の中で最下位。アジアでは、韓国や中国、ＡＳＥＡＮ諸国より低い水準です。内訳は、「経済」１２３位。「教育」47位。「健康」59位。「政治」１３８位。

「教育」の47位は、識字率や、初等～高等教育就学率、の男女格差があまりないこと、に由来します。「健康」の59位は、出生児性比、健康寿命の男女比、を考慮した数字です。「経済」の123位は、労働参加率の男女比、同一労働における賃金の男女格差、勤労所得の男女比、管理職の数の男女比、専門・技術者の数の男女比、が大きいためです。「政治」は138位。最下位に近い状況（下から9番目）です。国会議員の数、閣僚の数、過去50年間における行政府の長の在任年数、の性差が大きいこと、によります。[107]

政府も、こうした傾向には危機感を持っています。22年6月に定めた「女性版骨太の方針2022」で、女性の経済的自立の促進や、女性の登用目標の達成、などを謳《うた》いました。[108]女性の地位が著しく低いという日本の現状は、「生まれたときの性差」によって、人生の可能性が大きく異なってしまうこと、を意味しています。その是正は、喫緊《きっきん》の課題です。

日本人の10人に1人が「性的マイノリティ」

ジェンダー（性）の問題として、「性的マイノリティ」（少数者）の置かれた状況にも、留意が必要です。性的少数者とは、L（レズビアン）、G（ゲイ）、B（バイセクシュアル。両性愛者）、T（トランスジェンダー。自分の性自認が、出生時に割り当てられた性別と異なる人）、Q（クイア。クエスショニング。自分の性の在り方について、特例の枠に属さない人。わからない人）

など、がそれに当てはまります。ＬＧＢＴＱ以外の性自認もあります。

ただし実は、少数者と言っても、その割合は決して少なくありません。ＬＧＢＴ総合研究所（東京・港）が19年4～5月、20～69歳の全国約43万人を対象に実施した調査では、全体の10・0％。10人に1人、が性的マイノリティであること、がわかったのです。[109]

しかしこうした人々、とくに若者たちは、性の多様性に関する情報不足ゆえに、強い孤独感や自責の念、を感じることが多々あります。

認定ＮＰＯ法人の「りびっと」（ＲｅＢｉｔ）が22年9月に、12～34歳の性的少数者を対象に行った調査では、セクシュアリティ（注：この社会には、多様な性的指向を持つ人々が存在すること。そうした人々の存在や意見などが、受け入れられる社会こそが望ましいこと、等の情報）について、情報を得たいと感じた年齢が、平均で12・5歳。一方で、情報を実際に得た年齢は18・2歳。その差は5・7年間です。また、自身のセクシュアリティを自認してから、誰かに初めてカミングアウトするまでの期間は、平均4・2年間でした。[110]

この間、性的マイノリティの人々は、どれほどの不安や苦しい思いを経験したことでしょうか。実際、自分が性的マイノリティだと回答した学生の70・7％が、直近1年間に学校で困難を経験し、10代の性的マイノリティの学生の48・1%が、同期間中に自殺を考えたことがある、と回答しています。[111]

しかし、日本社会でも近年、この状況が少しずつ変わりつつあります。

まず、「LGBT理解増進《ぞうしん》法」が、23年6月に成立し、施行されたこと。そこでは、性的指向などを理由とする「不当な差別はあってはならない」としています。ただし、同法に対しては、「差別」ではなく、「不当な差別」という言葉を使ったことで、意味が曖昧《あいまい》になる、などといった批判も出ています。[112]とは言えこれは、まだ第一歩。将来的には、社会の変化に伴い、性的マイノリティの人々に、より寄り添った法律の成立する可能性があるでしょう。

さらに注目すべきは、司法の判断です。19年、「同性婚」を認めない現行の法制度が、配偶者の選択、財産権などの順守を定めた「憲法第24条第2項」等に違反している。違憲だ、として、全国5つの地方裁判所（地裁）で訴訟が行われました。それに対する判断が、23年6月の福岡地裁の判決をもって、出揃《そろ》ったのです。

結果は、札幌《さっぽろ》地裁（21年に判決）と名古屋地裁（同23年）が「違憲（憲法違反）」。東京地裁

（22年）と福岡地裁（23年）が「違憲状態」。大阪地裁（22年）が「合憲」[113]。しかし、合憲とした大阪地裁でも、同性カップルには、「現段階」では、「同性カップルの公認に係《かか》る利益の実現のためにどのような制度が適切であるかの議論も尽くされていない」（傍点は筆者による）として、将来的に「違憲となる可能性」、に含みを持たせました[114]。違憲とは、関連の法律や制度の是正が、早急に求められる、という意味。違憲状態は、直截《ちょくせつ》的に言えば、そこまで緊急ではないが、法制度の修正が、どこかの時点で求められること、を指しています。

地裁は概《おおむ》ね、同性婚を認める方向の回答、を示したのです。今後、裁判の舞台が、高等裁判所、最高裁判所に移っても、この判断がある程度維持される可能性、はあります。

すでに世界では、主要先進国の多くで、同性婚が認められています。G7で同性婚を認めていないのは、日本だけ[115]。そう遠くない将来、この国で同性婚が認められること、もあり得るでしょう。性的マイノリティへの理解は今後、徐々に、あるいは急速に進んでいくと思われます。該当する人は、決して希望を失いませんように。

G7で最多の「貧困大国」

日本では、「貧困」が深刻なレベルとなっています。

先進諸国での貧困の度合いを示す指標として、「相対的貧困率」という数字があります。
これは、世帯所得が、その国の「等価《とうか》可処分所得」と呼ばれる数字の「中央値」、の半分に満たない世帯の割合、を指します。これが18年には15・4％。85年の12・0％から、00年に15・3％へと増えた後、短いレンジの中を上下しています。[116]
日本の相対的貧困率は、OECD（経済協力開発機構。先進諸国から成る国際機関）の21年の調査によると、先進37か国中7番目の多さ。G7の中では、最多です。[117] 日本は、先進諸国の中でも、貧困世帯の割合がかなり多い国、だと言えるでしょう。

「ジニ係数」という指標もあります。これは、所得格差の度合いを示す数字。0〜1の値を取り、0に近いと格差が小さいこと、1に近いと格差が大きいこと、を示しています。
日本では、税金などでの調整前の「当初《とうしょ》所得」で、これが96年に0・44でした。[118] しかし21年の調査では、高齢者や非正規の増加を背景に、0・57へと増加しています。[119]
ただし、社会保障などを加味した「再配分後」では、同期間中に大きな変化はなく、96年0・36[120]→21年調査0・38[121]への、微増にとどまっています。
ここからは、税や社会保障などを通じた「再配分」によって、所得格差が改善していることと、がわかります。とは言え、ジニ係数の「改善度合い」は、年齢によって大きく異なります。21年調査の数字では、世帯主の年齢が65〜69歳では33%だったのに対し、30〜34歳は10%、29歳以下では3%でした[122]。つまり、税や社会保障などによる所得格差の改善、という恩恵を受けている割合は、高齢者層で多く、若年層では少ないのです。

そのため、貧困に苦しむ子どもたちが多数います。貧困世帯に住む子どもの割合である「子どもの貧困率」、は21年、11・5%に上っています[123]。子どもの約9人に1人、が貧困家庭で暮らしているのです。

「一人暮らし」の高齢者が急増中

日本の貧困の背景には、①一人暮らしの高齢者の増加、②一人親世帯、とくに母親と子ども世帯の増加、③非正規の増加、などといった状況があります。

①一人暮らしの高齢者は、収入が、支出に対して少ない傾向があります。生活に掛かるお金のすべてを、自分の収入だけで賄《まかな》う必要が出てくるからです。

一人暮らしの高齢者の数と、高齢者人口に占める一人暮らしの割合が、ともに急増しています。男性では、80年19万人（高齢男性の4%）だったのに対し、20年231万人（同15%）

に増加しました。寿命がより長く、夫に先立たれることも多い女性、の数字はさらに大きく、同期間に69万人（高齢女性の11％）→441万人（同22％）に増えています。[124]

今や高齢者の一人暮らしは、当たり前のことなのです。

深刻な「母子世帯」の貧困

②一人親と未婚の子のみの世帯、の数と割合が増加しています。89年には199万世帯（全世帯数の5％）でしたが、21年には367万世帯（同7％）。[125] 世帯数が2倍近くに増えています。

その中で、「母子世帯の貧困」が深刻です。20年の数字で、父子世帯の平均年収が605万円なのに対し、母子世帯では375万円。[126] そして、母子世帯の母親の40％が、預貯金を、50万円に満たない金額しか持っていません。[127] この場合、母親が病気などで働けなくなると、家計は一気に苦しくなってしまいます。

なお、一人親になった理由は、21年の数字で、母子世帯では離婚（80％）が最多。次いで、未婚の母（11％）、死別（5％）。父子世帯では、離婚（70％）、死別（21％）、などとなっています。[128]

未婚の母などから生まれ、戸籍上に父親の名が記載されていない子どものことを、「婚外《こんがい》子《し》」と呼びます。日本ではその割合が、少し前の06年の数字ですが、同年に生まれた子どもの2・1％に上ります。[129] このほとんどは、父親が家族のもとを去ってしまったり、母親が父親からDV（ドメスティック・バイオレンス）にさらされたため、逃げていたりする、というような状況下で生まれています。そうした子が、50人に1人以上もいるのです。06年の子どもの出生数は、109・3万人。[130] このうちの約2万人以上が、父親と会ったことがないだけでなく、父親について、ほとんど知らされずに育った可能性、が高いのです。

「非正規労働者」。増加のおもな理由は、高齢労働者が増えたこと

③「非正規」の数、割合（非正規率）の増加も顕著《けんちょ》です。99年→22年の比較では、非正規数が1225万人→2101万人、非正規率が25％→37％に増えています。[131]

男女別では、女性の非正規の多さが目立ちますが、男性もかなりの割合です。非正規率を、90年→22年で比べると、女性38％→54％、男性9％→22％に増えています。[132]

ただし、近年の原因はおもに、高齢者（65歳以上）の就業者が増えたことです。12年→22

年を比較したとき、非正規率が増加したのは、15～24歳（3％ポイント増）、65歳以上（8％ポイント増）のみ（グラフ1－10）。[133]

高齢者の場合、定年を過ぎて働く人が多数を占め、その非正規率は、22年の数字で、男性71％、女性83％と高い水準です。[134] さらに、高齢者の人口は、巨大な規模（総人口の約3・5人に1人）となっています。高齢者の「労働参加」が増えたことが、近年の非正規率の上昇の、最大の要因となっていること、がわかるでしょう。

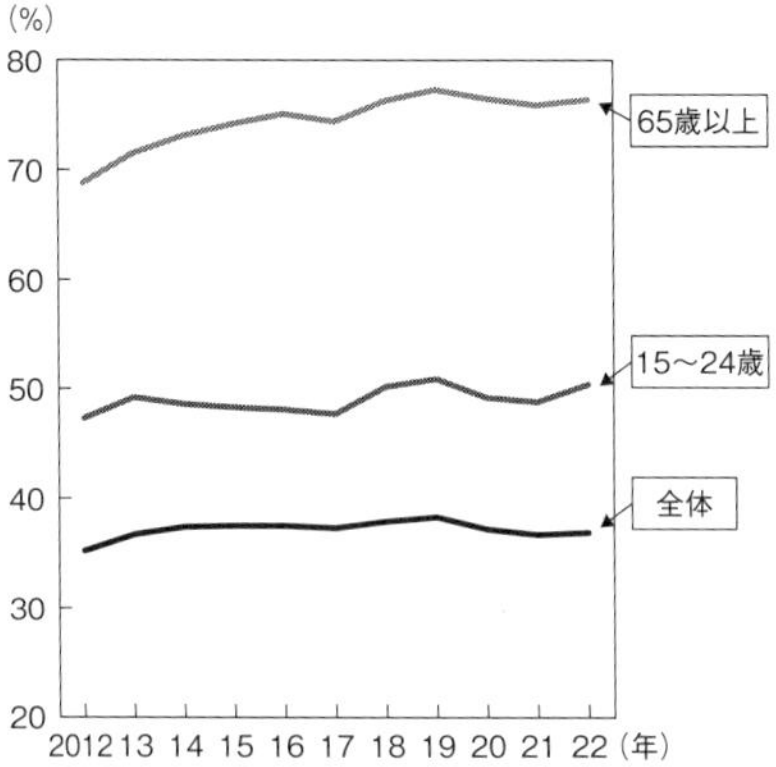

グラフ1-10　年代別の非正規率の推移　12～22年の期間中、非正規率が増加したのは、15～24歳、65歳以上だけ。中でも、65歳以上は、増加率、人口規模とも、際立っている　（出典）総務省統計局「労働力調査」

他方、おもに女性の場合、一定以上の収入のある配偶者がいるため、あえて非正規として働く人、も多数います。

野村総合研究所（東京・千代田）の武田佳奈氏らは22年9月、夫がいる20～69歳のパート・アルバイト女性への調査に対し、年収を一定以下に抑えるために就労時間を調整している、と回答した人が61・９％いたこと。そのうち、調整がおもに自分や家族の意向による人、が87・２％だったこと、を発表しています。全体の、61・９％×87・２％＝約54・０％、つまり半数以上、が自らの意志で就労時間を少なくしていたのです[135]。

これが「年収の壁」です。現行制度では、妻の給与収入が年間１０３万円を超えると、妻の給与が所得税の課税対象になります。また、妻の勤務する会社の規模が一定以上であるような場合、同１０６万円を超えると、年金保険料や健康保険料を支払う必要が出てきます。１３０万円を超えると、無条件で、年金保険料や健康保険料を支払うことが義務づけられます。「１５０万円の壁」もあります（以上はすべて、男女が逆のケースもある）[136]。同制度のため、就労時間を、あえて低く抑える人が多数いるのです。

ただし近年、この傾向が変わりつつあります。厚生年金に加入する勤め人を夫（妻）に持つ、専業主婦（主夫）と、年収の壁を超えないパート主婦（主夫）、を、国民年金の「第３号被保険者」と呼びますが、その数は、１９８６年度１０９３万人[137]→21年度７６３万人[138]に減っています。

赤ちゃんが2週間に1人、虐待で亡くなる

日本は、他の分野でも「問題多き」国です。

そこでは、陰惨《いんさん》な事件が増えています。たとえば、子どもへの「虐待」。

こども家庭庁によれば、22年度に、18歳未満の子どもが、親などの保護者から虐待を受けたとして、児童相談所が対応した件数は、全国で21万9170件。虐待の相談件数は、統計を取り始めた90年度以降、一貫して増加を続けています[139]。

虐待内容としてもっとも多かったのは、暴言をはいたり、子どもの前で、母親などの家族に暴力を振るったりする「心理的虐待」で、12・9万件（全体の59％）。次が、子どもの体をたたいたり蹴ったりするような「身体的虐待」5・2万件（24％）。育児を放棄する「ネグレクト」3・6万件（16％）。子どもにわいせつな動画を見せる、などの「性的虐待」0・2万件（1％）[140]。虐待は、行政機関（役場や警察など）が関与する事件です。

またこの国では今、赤ちゃんが、2週間に1人以上、虐待によって死亡しています[141]。

「いじめ」も多数起きています。

文科省によれば、22年度の小・中学校、高等学校、特別支援学校におけるいじめの認知件

数は、68万件。このうち、小学校は55万件、中学校は11万件、高等学校は1・6万件、特別支援学校0・3万件。1校当たりの平均認知件数は、小学校29件、中学校11件、高等学校2・8件、特別支援学校2・6件、でした。[142]

小学校での多さが際立っていますが、当事者の苦しみを思い、ときには被害者が自ら命を絶つこともあることを考えた場合、どの学校での数字も少ないとは言えないでしょう。

近年、増えているのが、パソコンや携帯電話などを使ったインターネット上の誹謗《ひぼう》中傷、「ネットいじめ」です。その数は、22年度に2・4万件と、06年度の調査開始時（0・5万件）以来、最多となっています。いじめ総数に占める「ネットいじめ」の割合は、中学校が約10％、高等学校で約16％と、かなりの規模になっています。[143]

これに関して、ネット上で犯罪行為とみなされる投稿が行われれば、警察が捜査に乗り出し、犯人が必ず特定されること、は押さえておきましょう。

高い児童・生徒の「学力」

他方、日本の児童・生徒の学力は、国際的に見ても高い水準です。

ＯＥＣＤ加盟国などの15歳児（日本では高校1年生）の生徒を対象にした、「ＰＩＳＡ《ピサ》」（生徒の学習到達度調査）と呼ばれる調査があります。最新の調査は、18年に実施。結果、日本は、OECD加盟37か国中、数学的リテラシー（読解力と記述力）で1位。科学的リテラシーは2位（1位とは、点数のわずかな差はあるものの、統計的には差がない。実質的には1位）。読解力は11位（同7位）、になりました[144]。

この37か国に、シンガポール、香港、北京・上海・江蘇《こうそ》・浙江《せっこう》、などの国・地域を加えた全77〜78か国・地域における同調査では、数学的リテラシー6位（5位）、科学的リテラシー5位（4位）、読解力15位（11位）、となっています[145]。日本は高いレベルです。

（脱稿後の23年12月始め、PISAの最新調査［PISA 2022］の結果が発表された。日本は、OECD加盟37か国中、数学的リテラシー1位。科学的リテラシー1位。読解力2位［1位］となった）。

「TIMSS《ティムズ》」（国際数学・理科教育動向《どうこう》調査）という、日本での小学4年生、中学2年生に相当する児童・生徒を対象にした国際調査もあります。

日本はここでも、高い水準となっています。19年の数字では、小4で、算数が58か国・地域中5位、理科が同4位。中2では、数学が39か国・地域中4位、理科が同3位、になりました。[146]

これは、今までの日本の教育制度が、一定程度、機能してきたことを物語っています。

ただし、問題点も指摘されています。OECDの、19年の調査によれば、日本の政府予算に占める「教育向け支出」の割合は7・8%。これは、OECD加盟42か国中38位[147]。下から5番目です。政府の予算に限りはありますが、この支出を増加する必要があることは確かでしょう。それによって、教育に関わる人員を増やし、今の、教員の「重い負担」、を軽減しなければなりません。

この国の「研究力」は大丈夫か？

日本の「研究力」が落ちている、と言われます。

典型例が、「論文の引用数」の順位が落ちていることです。研究者が学術論文を書く際、他の研究者などが書いた有用な論文を引用します。引用数が多いほど、他の研究者から注目されている、質の高い論文だと言えます。そうした論文の上位10%、「トップ10%」の順位で日本は、97～99年の平均世界シェアが7・3%（4位）。しかし、19～21年には同3・8

%（12位）に落ちています。「トップ1％論文」は6位→12位に後退しました。[148]

「博士号」の取得者の数も、06年度をピークに減少しています。19年度の数字では、人文・社会科学系を含めて、人口100万人当たり約120人と、米国、英国、ドイツなどの半分以下になっています。[149] 優れた頭脳の育成・活用が、国力に大きく資《し》することを考えると、由々《ゆゆ》しき事態だと言えるでしょう。この背景には、博士号を取っても、それに見合う、大学の研究職などの仕事が見つからないこと、等が挙げられています。

黄色信号が点灯する「行政」の今後

日本社会の制度設計・運営を担う、「国家公務員総合職《そうごう》」（キャリア）の採用試験を受験する人の数、も急減しています。23年度（春）の同数字は1万4372人。12年度に現行制度が始まって以降では、21年度（春）1万4310人に続く、2番目に少ない数字です。[150]

19年度に、自己都合で「退職」した20代の「総合職」「一般職」「専門職」の国家公務員は、合計1122人。13年度の2倍以上です。[151] 中でも、幹部候補となる若手キャリア（在職10年未満）の退職は、18年度に100人を超え、19年度に139人、20年度に109人となっています。[152] とくに目立つのが在職5年未満の人。19年度に80名、20年度に55人が辞めています。[153]

内閣人事局が19年度に実施したアンケートでは、30歳未満の国家公務員の13%が「数年以内に辞めたい」と回答しました。「定年よりも前に辞めたい」と合計すると、全体の28%。その理由として、約4割が「長時間労働」を挙げています。[154]

調査では、年代が若いほど、勤務時間が長い傾向のあることもわかっています。20年10〜11月時点で、正規の勤務時間外の在庁時間がもっとも長かったのは20代以下で、平均月48時間強。20代以下の、2割が月に80時間、1割が月100時間の残業をしていました。[155]

キャリアの人気低迷のもう1つの要因としては、行政が官邸主導で進められるようになり、国の制度設計に携わる「やり甲斐《がい》」を感じられなくなったこと、が挙げられています。

さらに、国内では、私たちの生活を支える水道管、橋、トンネルなどの「インフラ」の劣化が進み、「空き家」「所有者不明の土地」も増えています。これらへの対処も、急務です。

日本は、「縮小」しつつあり、多くの「危機」と、いくつかの「希望」、のあることが見て取れます。

第2章　日本は「普通サイズ」に回帰するのか？

経済

軋《きし》む世界3位の経済大国

まずは、マクロな数字から。

日本の「ＧＤＰ」（国内総生産：Gross Domestic Product）は戦後、朝鮮戦争の特需。人口の増加。安価で性能のよい工業製品の開発・製造に成功したこと。勤勉な多くの労働者の存在、などによって成長を続け、１９６８年には米国に次ぐ世界2位となりました。[1] 日本経済の成長率は、１９５５〜70年の高度成長期に、年率約10％を記録。70〜90年も、オイルショック（73年、78年）の影響を受けつつ、平均４・５％前後の成長率を維持します。しかし、90年のバブル崩壊で、経済成長率は急減。以降の成長率は、10年平均で１％未満の状況が続きます（グラフ２－１）。[2] 結果、２０１０年に、ＧＤＰが中国に抜かれました。[3]

日本のＧＤＰは、22年度の数字で５６６・５兆円（名目値）。世界3位です。[4]

しかし23年、ＩＭＦ（国際通貨基金：International Monetary Fund）は、同年に日本が、ドイツに抜かれ、４位になる、と予測しています。[5] ドイツの人口は８４００万人強（22年）。[6]

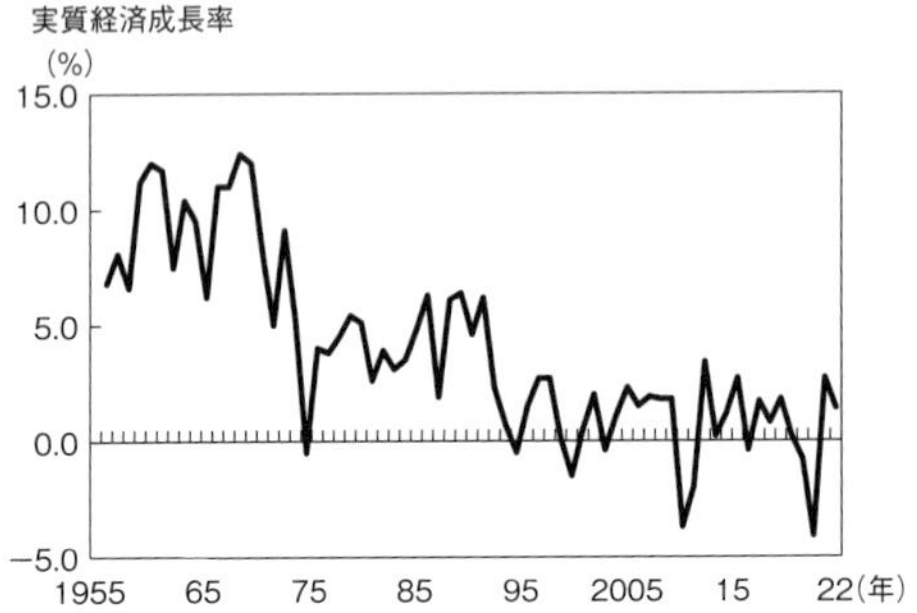

グラフ2-1　日本の実質経済成長率の推移　1955〜70年代前半の高度成長期には、年率10%前後だったが、近年は1%を下回ることも。その中で、ここ数年の、エネルギー・資源価格の上昇による、世界的な物価高（インフレ）が、国内の物価上昇→賃金上昇→消費の増加などをもたらし、日本経済にプラスの影響をもたらすのか、注目されている（出典）99年までは国土交通省「国土交通白書」(暦年)、2000年以降は内閣府「国民経済計算」(年度)

日本の人口は1・24億人強（23年5月1日時点）[7]。日本は、人口がほぼ3分の2の国に、GDPが超されそうなのです。

発展を始めたかつての超大国インド（5位）が、27年前後に日本を超える可能性、も指摘されています[8]。

GDPには、その国の物価などを勘案《かんあん》した「購買力平価《へいか》」と呼ばれる数値もあります。

ここでは、IMFの23年の数字で、1位はすでに中国となっていて、2位米国、3位インド、4位日本の順となっています[9]。

では、「一人当たりGDP」はどうか。日本は、IMFの23年の予測値で、3万3949ドル[10]。世界（香港、マカオも含む）34位です。2000年の世界2位を頂点にして、成長率の勝る32の国・地域に追い越されてしまいました。

「労働生産性」という数値もあります。これは、①労働者1人が、1時間に生み出す付加価値。②労働者1人が生み出す付加価値、などがあります。日本生産性本部によれば、①は21年の数字で、OECD加盟38か国中27位の49・9ドル。②は同29位の8万1510ドル[11]、となっています。

ちなみに日本の人口は、OECD加盟国中2位で、米国に次ぐ大きさ。私たちの国は、その人口規模ゆえ、GDPを、かろうじて世界3位に留《とど》め置くことができているのです。

この国は「貿易大国」なのか？

日本はこれまで「貿易大国」と呼ばれてきました。それは、本当か。

一国の、「貿易への依存度」を測るためによく用いられる指標である、輸出額をGDPで割った「輸出額対GDP比」[12]を見てみましょう。

18年の数字で、日本は18％。05年は11％で、近年は少しずつ増加傾向にあります[13]。

他の先進諸国はどうか。18年にドイツは47％。英国30％。韓国44％。そして米国は12％。

実は、日本の18％という数字は、OECD36か国中35位。米国に次いで、下から2番目です[14]。

日本と米国は、大きな人口規模を抱えている、という共通点があります。米国の人口は3・3億人（G7で最多。20年）。日本は1・3億人（2位。同年）。[15]

日本は、資源に乏しいため、鉱物やエネルギー、農産物など、さまざまなものを輸入する必要はあるものの、国内に多くの需要を抱えていることで、貿易に頼らずに経済が成り立っている部分、も大きいのです。

一方、欧州の先進諸国や韓国は、日米に比べて、人口が少なめです。そのため、国内だけでは、十分な需要が確保できず、貿易を活発化させることで、経済を潤しているのです。さらに欧州主要国は、ＥＵ（欧州連合）という枠組みに参加しています。ＥＵ域内では、人、モノ、サービス、資本、の自由な移動の保障された「１つの市場《しじょう》」が形成されています。関税などの貿易障壁なしに、自国内での取引と同じ環境下で、貿易を行えるのです。

マイナスに転じた「貿易収支」

日本の話に戻りましょう。欧州先進諸国などと比べて貿易依存度が低いにもかかわらず、日本は、これまで貿易大国とみなされてきました。それには理由があります。２０００年代半ばくらいまで、日本は、自動車や家電製品を始めとする製品を輸出し、巨額の貿易黒字を生み出してきたこと、です。80年代～00年代には、80年を除き、すべての年で貿易黒字を達成しています。そして多い年には、10兆円以上の黒字を出していました。[16]

しかし、こうした状況の中、多額の貿易赤字を抱えていた米国は過去、何度となく、日本に圧力を掛けてきました。代表例が、1985年9月の「プラザ合意」です。

これは、米国と日本、英独仏の主要5か国（G5）財務相・中央銀行総裁が、ニューヨークのホテル「プラザ」で会合を開き、米国の（輸出額を増やし、輸入額を減らして）貿易赤字を減らすべく、ドル安に誘導すること、で合意した出来事を指します。具体的には、日英独仏が、ドルの価値を下げるため、自国通貨と外貨を取引する「外国為替市場」で手持ちのドルを売ること、を約束したのです。[17]背景には、米国の軍事的・経済的パワー（国際政治学ではしばしば、「パワー」という言葉を使う）に多大な恩恵を受けてきた各国が、米国の要望した手段を受け入れざるを得なかったこと、があります。

会談の前に1ドル＝240円前後だったドルの対円レートは、プラザ合意の2年後の87年末には1ドル＝120円台にまで安くなりました。[18]日本にとってはこれは、円の価値が対ドルで、2年の間に2倍弱へと増加したこと、を意味します。結果、日本の輸出品の、米国での価格は、2倍近くになったのです。日本の輸出競争力が落ちても仕方ありません。

その後、90年代に入ると、国内需要（内需《ないじゅ》）が頭打ちとなります。「バブル崩壊」です。それでも日本の、とくに製造業は、安く性能のよい商品を開発し、多くの貿易黒字を生み出していました。しかし、2000年代半ばくらいから、貿易黒字の額は減っていきます。そして、11年に貿易赤字が発生すると、12～15、18、19、21、22年にも貿易収支が赤字になりました（グラフ2－2）[19]。「貿易で稼《かせ》ぐ日本」という姿は、様変わりしたのです。

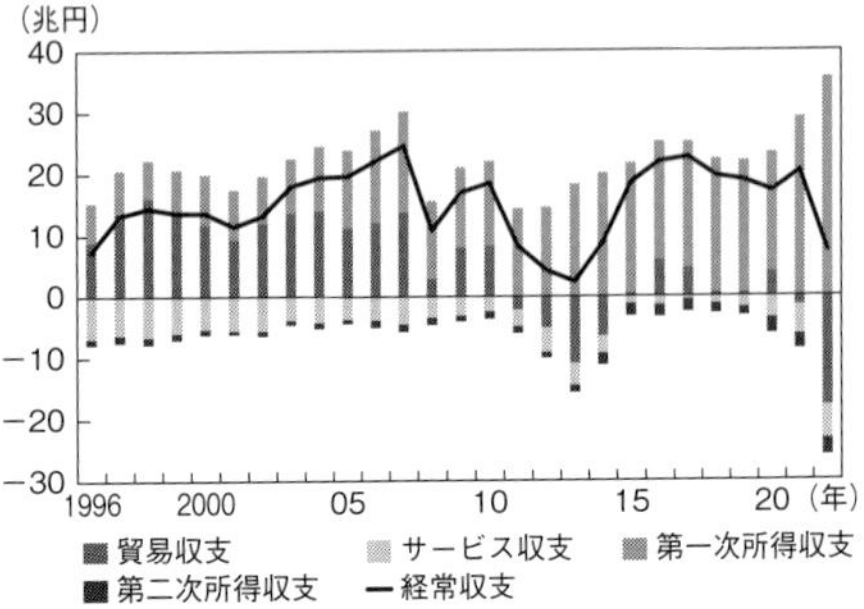

グラフ2-2　日本の貿易収支・経常収支の推移　貿易収支では近年、赤字が続く。その一方で、経常収支は、巨額の黒字となっている。これは、日本の製造業などが海外進出したこと、が大きな要因　（出典）経済産業省「通商白書」

巨額な「経常収支」の黒字

ただし、この話には続きがあります。「経常収支」の増加です（グラフ2－2）。

「貿易収支」は、「モノ」の輸出入金額の収支（差額）を指します。一方、「経常収支」は、貿易収支に「サービス収支」「第1次所得収支」「第2次所得収支」を足した金額です。「サービス収支」は、外国との間での、旅行や運輸、金融、特許権などに関するお金の収支。「第1次所得収支」は、海外にある親会社や子会社との間での、株式の配当金や利子の受け渡し、などの収支。「第2次所得収支」は、官民の無償協力や寄付など、利益目的ではないお金のやり取りの収支、です。

日本では、サービス収支と第2次所得収支は小規模です。一方、第1次所得収支は大きく、近年、黒字が継続的に増加。22年には34・5兆円に上っています。このため、第1次所得収支の黒字が、貿易収支の赤字を大きく上回り、結果的に日本は、巨額の経常収支を計上することができているのです。この金額は、22年に10・7兆円となっています。[20]

ではなぜ、第1次所得収支が、巨額の黒字を計上しているのか。それは、日本企業が外国に進出し、工場などを建て、利益の一部を日本に戻したからです。

日本企業は、とくに２０００年代以降、中国やＡＳＥＡＮ（東南アジア諸国連合）各国等に工場を建設。日本よりも安価な労働力を使って商品を製造し、日本や海外各国で販売することが増えていきました。衣料品などは、その典型例だと言えるでしょう。

現在の日本は、輸出で稼ぐ国から、海外に製造拠点や店舗などを置き、そこで得られる利益によって儲《もう》ける国、に変わっているのです。

日本の、潮流を読み、適応していく力は？

日本の「経済的な競争力」を見てみましょう。スイスの有力な研究・教育機関ＩＭＤ（国際経営開発研究所：International Institute for Management Development）が毎年発表する、『国際競争力年鑑』という報告書があります。

これは、世界の主要国・地域を対象に、調査を行い、①「経済状況」「政府の効率性」「ビジネスの効率性」「インフラ」という4つの大分類の下に、②たとえば経済状況であれば、「国内経済」「貿易」「物価」など、全部で20の小分類を設け、③さらに、小分類の下に、333個の指標を設定。そのうちの255指標のスコアを合算して、順位を算出する、というものです。[21]

22年版では、①の4つの大分類を合計した「総合順位」で、日本は、63か国・地域のうち

34位。大分類の各順位は、「経済状況」が20位。「政府の効率性」39位。「ビジネスの効率性」51位。「インフラ」22位、となっています。

どれもよくない順位ですが、とりわけ危機感を覚えるのが、51位となった「ビジネスの効率性」でしょう。

その内訳では、「企業の意志決定の速さ」「変化していく市場への認識」「機会と脅威への素早い対応」「ビッグデータ分析の、意志決定への活用」「起業家精神」「変化に対する柔軟性と適応力」「企業におけるデジタルトランスフォーメーション」の7指標が63位（最下位）。「企業の効率性に対する評価」、大企業は62位、中小企業は61位。「海外のアイデアを広く受け入れる文化の開放性」61位。「デジタル化を活用した業績改善」60位。「経営に携わる女性比率」56位。「グローバル化に向けた態度」48位、などが目につきます。[22]

近年、世界では、デジタル技術の進展によって、①人同士が、対面で会わなくても、リアルなコミュニケーションを取れるようになったり、②SNSを使って、個人が世界に向けてメッセージを簡単に発信できるようになったり、③大量のデータを収集・分析し、新たな手法で顧客を獲得できるようになったり、あるいは、④先進各国や中国などで少子高齢化が急速に進んだり、⑤女性の社会進出が活発化したり、といった社会・経済の巨大な変化が起きています。

しかし日本は、こうした潮流を読み、対処していく能力が欠けている、と指摘されたのです。日本が最下位、あるいはそれに近い順位にある指標は、どれもこの国が今後、発展を続けていく上で不可欠な要素ばかりです。

ちなみに日本は、1992年まで、同報告書の総合順位で世界1位でした。[23]

日本人は何で食べているのか?

話を変えましょう。この国は、何で食べているのか。

「GDP」は、国内で新たに生産された製品・サービスなどの総額。前述したように、22年度には、生産額を単純に足して算出した「名目GDP」が約563兆円でした。

21年の数字では、このうち「第1次産業」(農林水産業)が1%。「第2次産業」(鉱業、製造業、建築業等)は26%。ここに含まれる、「自動車産業」など、日本の強みともされている「製造業」は、全体の20%です。「第3次産業」(第1次・2次産業以外)は73%、となっています(グラフ2-3)。[24]

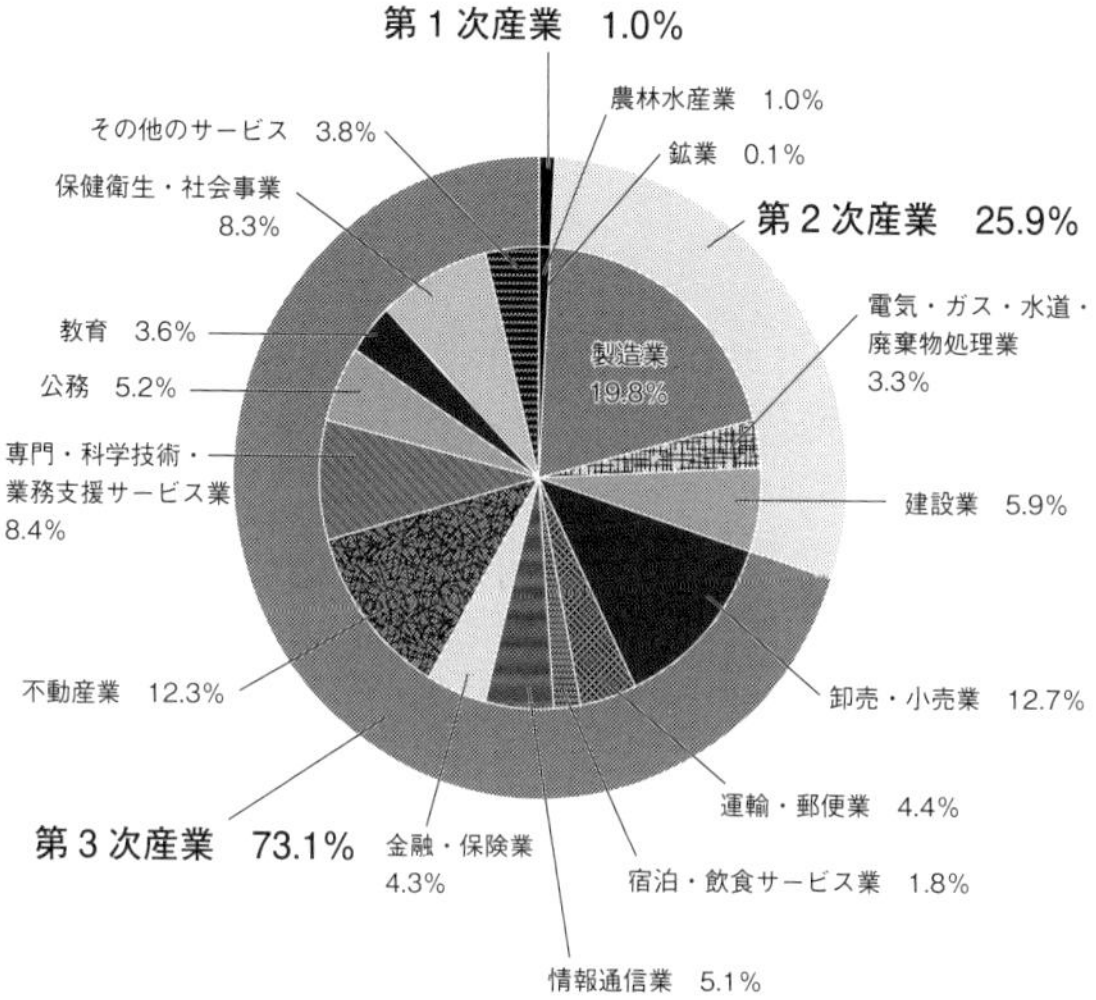

グラフ2-3　日本の産業（21年）　第3次産業が大きな割合を占めている。ただし、第3次産業は、生産性（労働者1人が生み出す金額など）が低い傾向。国内に、製造業などの、生産性や影響力係数（次ページ）の高い企業を生み出す・呼び込む努力が必要　（出典）内閣府経済社会総合研究所「国民経済計算」

注目すべきは、GDPに占める「製造業」の割合が低下していることでしょう。

1970年には同割合が46％でしたが、次第に減少したのです。[25]

この背景には、前述したように、日本メーカーが海外に工場を建て、そこで商品の生産をするようになったこと、等があります。

製造業は、製品の原材料や部品、工作機械などを買ったり、製品を消費者まで届けたりと、他分野とのつながりが多方面に及びます。そのため、製造業が栄えると、他の産業も利益が拡大する、という傾向が見られるのです。

ある産業に対する需要が生まれると、その産業を含む全産業の需要の増加に、どれだけの影響を与えるのか、を示す「影響力係数《えいきょうりょく》」という指標があります。総務省によると、15年の数字でこれが、製造業で概《おおむ》ね1以上。中でも、自動車を始めとする輸送機械は1・40と、大きな水準になっています。その次は、鉄鋼で1・39。これも大きな数字です。

一方、農林水産業は1・01。サービス業の金融・保険は0・84。情報通信は0・99。対事務所サービス0・89。対個人サービス0・97となっています。[26]

大手のメーカーなどが製造拠点を海外に移し、国内が「空洞化」したことが、経済成長の減速につながったこと、が推察できるでしょう。

弱い中小企業

次に、中小企業と大企業を比べてみましょう。

日本では中小企業が、会社数で99％以上、雇用者数で約7割、を占めています。[27]

その中小企業、「稼《かせ》ぐ力」が弱い、とされています。国税庁によると、法人税を支払って

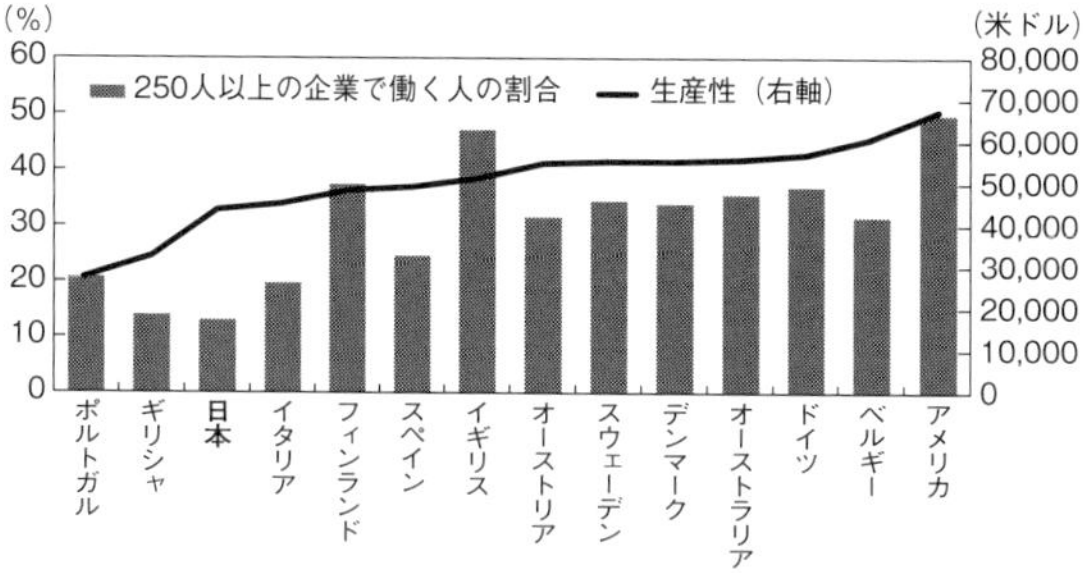

グラフ 2-4　従業員 250 人以上の企業で働く人の割合と、生産性の関係　同割合と生産性の間には、正の関係があるように見える。企業の規模を拡大することで、生産性が向上するという仮説、には一定の説得力がある　（出典）デービッド・アトキンソン『日本人の勝算』

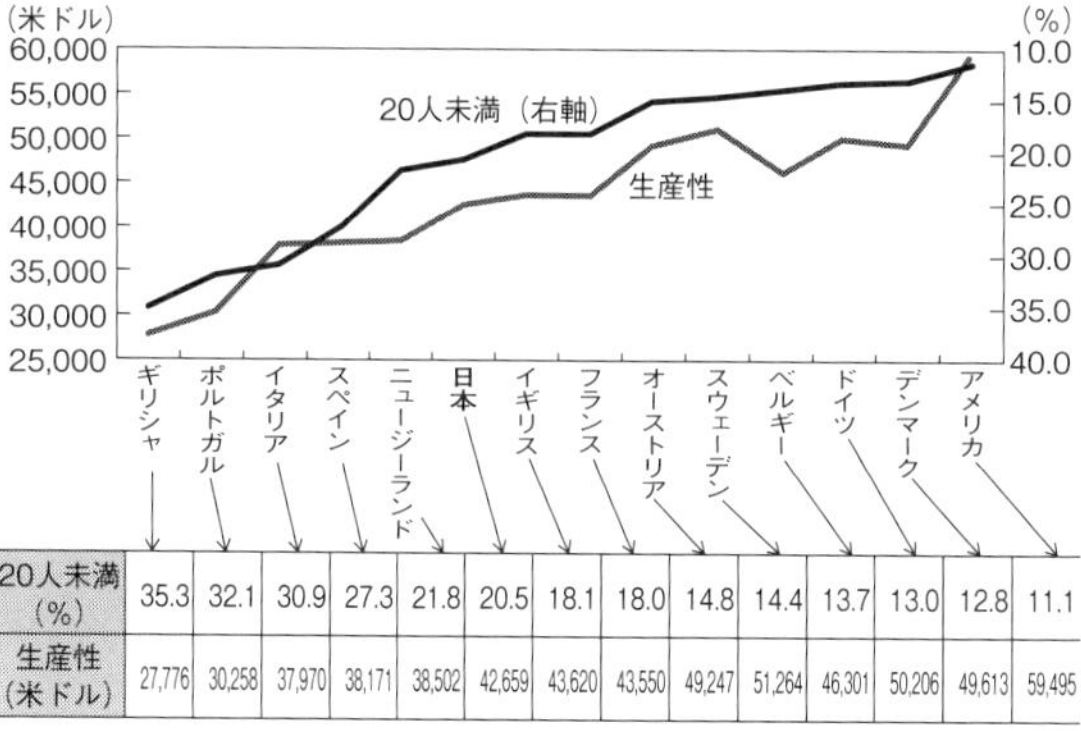

20人未満（%）	35.3	32.1	30.9	27.3	21.8	20.5	18.1	18.0	14.8	14.4	13.7	13.0	12.8	11.1
生産性（米ドル）	27,776	30,258	37,970	38,171	38,502	42,659	43,620	43,550	49,247	51,264	46,301	50,206	49,613	59,495

グラフ 2-5　従業員 20 人未満の企業で働く人の割合と、生産性の関係　同割合と生産性の間には、負の相関性があるように見える。小規模の企業の割合を減らすことで、生産性が上がるという仮説は、グラフ 2-4 とも整合性がある　（出典）『日本人の勝算』

いる中小企業は4割に満たない、と言います。6割以上が赤字なのです。一方、大企業では、黒字を出し、法人税を払っている会社が約7割[28]。中小企業との差は歴然としています。

こうした傾向に関連して、小西美術工藝社社長で、経済政策の研究者でもあるデービッド・アトキンソン氏は、著書の中で、国の労働生産性（この場合は、労働者1人が年間に生み出す金額）と企業の規模には、はっきりした関係がある、と語っています。

具体的には、日本と欧米先進主要国を見ると、従業員「250人以上」の企業で働く人の割合が高い国ほど、さらに、同「20人未満」の企業で働く人の割合が低い国ほど、生産性が高いと言うのです（グラフ2－4、2－5）[29]。

さらに同氏は、日本企業の「雇用者数」と「給与額」にも、正の相関性があること（ただし、社員数「5000人以上」の企業の給与水準は、「1000人以上5000人未満」の企業より低い）、も明らかにしています（グラフ2－6）[30]。

その上で、彼は、①企業の「統合」を促し、その規模を拡大すること。②企業の「最低賃金」を引き上げ、生産性の低い企業に、生産性向上をはかる動機づけを与えること。③「人材育成トレーニング」の導入を、全企業を対象に、強制力をもって実施すること、の重要性を主張しています[31]。

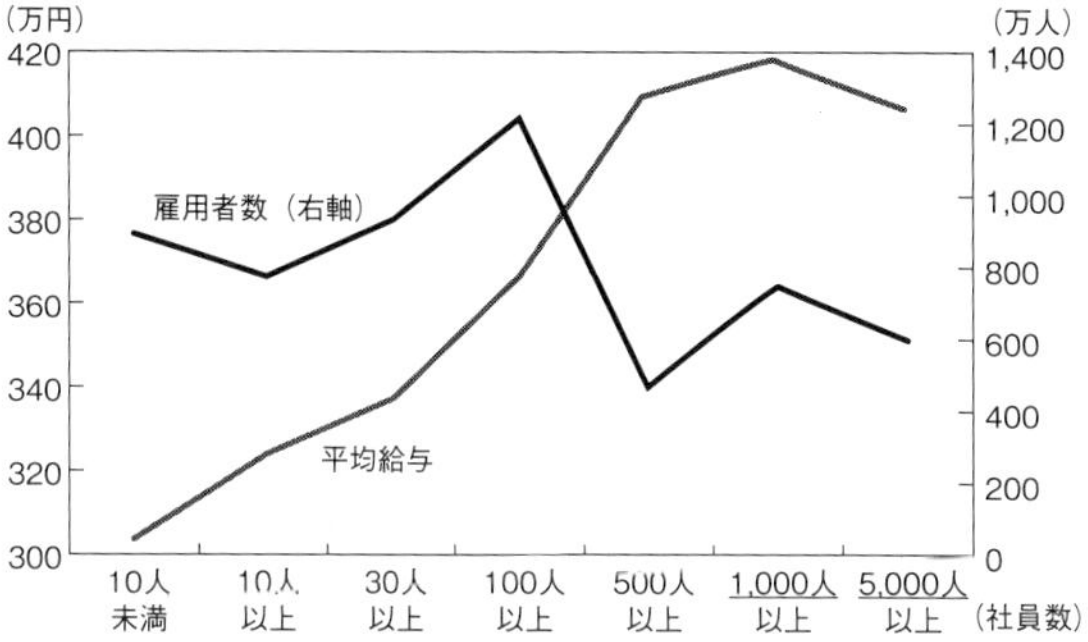

グラフ2-6　日本企業の雇用者数と、給与の関係　企業の規模と、給与水準の間にも、（従業員5000人以上のケースを除けば）正の相関性があるように見える。規模が大きくなると、給与が高くなるという仮説にも、一定の説得力が　（出典）デービッド・アトキンソン『日本企業の勝算』

人材の育成が大切だとは言うものの……

人材育成、いわゆる「人への投資」が大切だということは、多くの関係者が述べています。

たとえば、日本総合研究所の翁《おきな》百合理事長は、日本経済新聞（日経）の取材に対して、以下の3つのポイントが重要だ、と語っています。

①最先端の科学技術に携わる「STEM《ステム》（科学・技術・工学・数学）人材」を育てること。②社会人が新しい技術に対応できるよう学び直す「リカレント教育」を充実させること。③失業した人が、新たな仕事に就けるようにする「職業訓練」を強化すること。[32]

ただし、現状では日本が、人材開発に力を入れている国だとは、とても言えません。

厚労省の調査で、日本企業の、社員に対する能力開発費は、GDP比でわずか0・1%。一方、米国は2・1%、フランスは1・8%です。[33] 他方、日本では、職場内訓練（OJT：On-the-Job Training）によって、社員の能力を高めてきた、という意見が出るかもしれません。しかし、日本のOJT実施率は、男女ともOECDの平均を下回っています。[34]

中でも「中小企業」での、社員の能力開発に対する意識の低さ、は問題です。

和光大学の九川謙一非常勤講師によれば、中小企業のうち、「OJT」と「オフJT」（職場外での教育。会社の外での研修など、が含まれる：Off-the-Job Training）の両方を実践している企業は、データ上は30%くらい。社員教育を、計画的に、高いレベルで行っているのは、全体の1割前後だろう、と言います。

こうした状況の中で、九川氏は、成功事例を語っています。たとえばそれは、関東にある従業員50名くらいの製造業の会社。同社は、いわゆる「ニッチトップ企業」です。

ニッチは、隙間《すきま》、の意。経営学の「マーケティング」では、大きな利益が得られないため、大手企業が参入しない「狭い市場」（市場、は製品やサービスなど）、を指します。ニッチトップ企業は、ある特定のニッチで、抜群に高いシェアを持つ会社、を意味します。市場が小さいため、競争相手となる企業（競合企業）がそれほど入ってこず、特許や高度な技術、能力の高い社員などを持つことで、その市場でのトップシェアを維持できるのです。

同氏は、この企業の特徴は、基本的な技術関連の教育はきちんと実施する一方で、問題が起きたとき、社長が担当社員に、解決法の「すべて」をあえて教えないところにある、と述べています。本人に答えを見つけさせることで、解決のために必要な「スキル」（技能）を身につけさせる。これを繰り返させることで、問題解決に対処できる「学び方」を学ばせる、と言うのです。しかし、それには時間が掛かります。同社の社長は、自分で解決した方が効率的だと、イライラすることもあるでしょう。けれども社長は、担当社員が自分で答えにたどり着くまで、「我慢」をするのです。

同社は、社員に試行錯誤をさせ、それを社長が我慢して見守ること、で社員の能力・意欲を上げ、高い市場シェア、高い技術開発力を実現している、と九川氏は言います。

さらに彼は、こうした中小企業が、1つのニッチだけでなく、2つ、3つと、自社に合ったニッチを見つけて参入することで、利益を拡大することも可能だと語ります。[35]

中小企業の生産性を上げるための1つのヒント、がそこにあると思われます。

中小企業を始めとする、日本の会社の生産性を伸ばしていくためには、社会として、その他にもすべき点があります。

たとえば近年、若者などで、「転職」を希望する人が増えています。総務省の「労働力調査」によると、22年時点で、25～34歳の転職者数は75万人。同年代の就業者数の約7％を占めています。15～24歳では、同50万人、9％。[36] 社会が、こうしたニーズに応えること、も求められています。

「国家財政」はどうなっているのか？

ここからは、経済・社会を動かす「国の財政」について見ていきましょう。

まずは、国家財政を理解する上で大切な「一般会計」から。

一般会計は、国のメインともいえる財政の規模です。

他に、「特別会計」と呼ばれるサブ的な（しかし金額は巨大な）会計もあります。

一般会計には、収入と支出の両面があり、税金などからの収入を「歳入」、支出を「歳出」と呼びます。前年度に国会で成立する「当初予算」では、歳入と歳出は同額です（決算では、歳入と歳出が異なる金額となる）。

２０２３年度の当初予算における歳出・歳出の総額は、各１１４兆円です。

「歳出」の内訳としては、「社会保障費」が最大で、37兆円（32％）。これは、医療や年金、介護などに充《あ》てる資金です。

次は、「地方交付《こうふ》税《ぜい》交付金等」で16兆円（14％）[37]。財源の足りない地方自治体に対する補助金に近いお金です。23年度、これを受け取らない不《ふ》交付《こうふ》団体は、全国47都道府県では、多額の法人税などを得られる東京都だけ。全国１７００強の市町村では76のみでした[38]。

歳出の3位は、「防衛関係費」7兆円（6％）。関連して、23年度からはここに、「防衛力強化資金」3兆円（3％）が加わりました。第4章で紹介する周辺地域の脅威、に対処すべく、防衛関連の予算水準を、ＧＤＰ比2％に上げるためなどに使われます。合計すると、10兆円（9％）となります。

続いて、「公共事業」6兆円（5％）。次が「文教及び科学振興」5兆円（5％）。そして、食料安定供給関係費、エネルギー対策費、新型コロナ及び原油価格・物価高騰対策予備費、などといった「その他等」9兆円（8％）。

「地方交付税交付金等」を除いた、これらの部分を、財務省は「一般歳出」と呼んでいます。政府の施策《しさく》にかかわる部分のお金です。合計で73兆円（64％）、となっています。

歳出にはこれ以外に、「国債費」があります。国の借金を返すためのお金です。これが、25兆円（22％）計上されています。国債費には、借りているお金の返済部分である「債務償還《しょうかん》費」（17兆円）と、借りているお金に対する利子を支払う「利払い費等」（8兆円）、があります。利払い費等だけで、同年度の「防衛関係費」などを上回る規模です（グラフ2－7）[39]。

「一般会計」、歳入の3割以上が借金

歳出を賄《まかな》う「歳入」の内訳は、最大の「租税《そぜい》及び印紙収入」が69兆円（61％）。中では、「消費税」がもっとも多く、23兆円（20％）。続いて、「所得税」21兆円（18％）。「法人税」15兆円（13％）。「その他」10兆円（9％）、でした。

これらとは別に、「その他収入」9兆円（8％）、という歳入項目もあります。

それ以外が、政府の借金である「公債金」36兆円（31％）。内訳は、「特例国債」29兆円（25％）。「建設国債」7兆円（6％）、となっています（グラフ2－7）[40]。

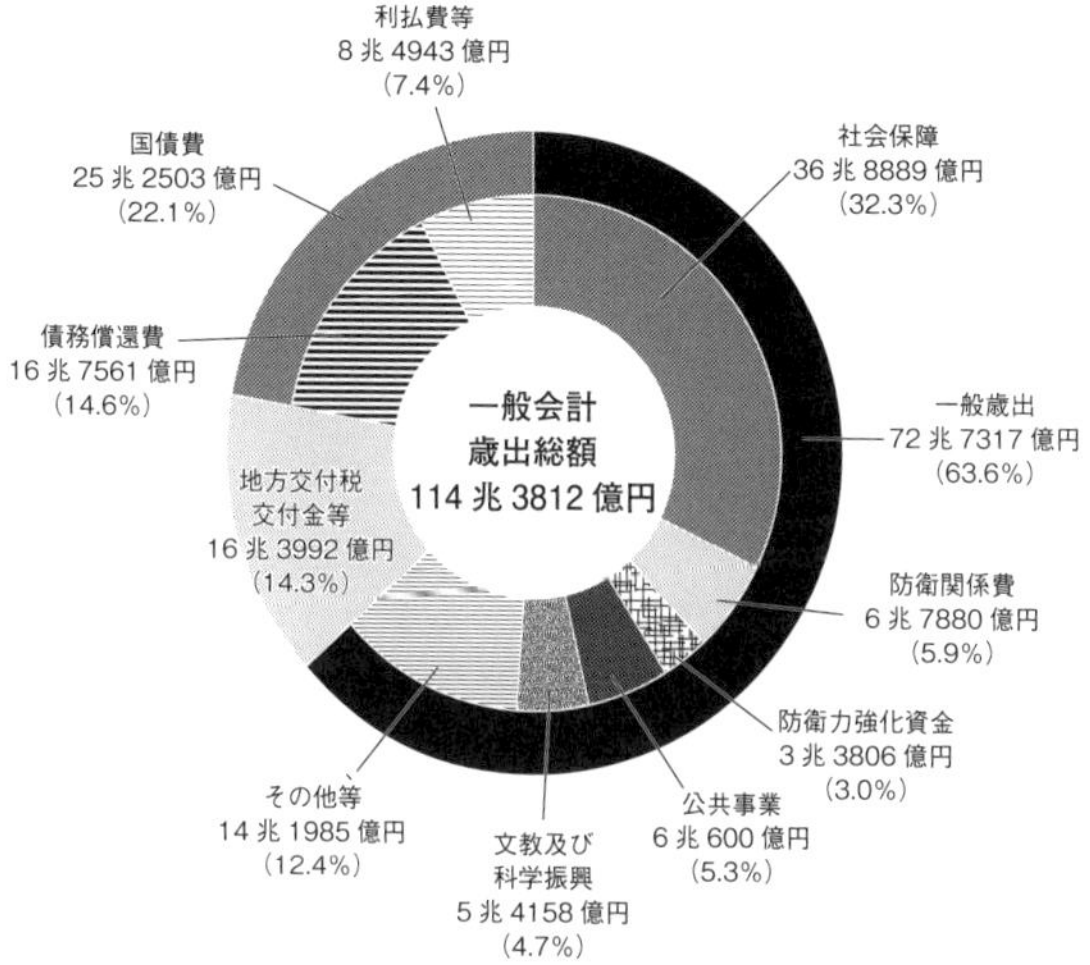

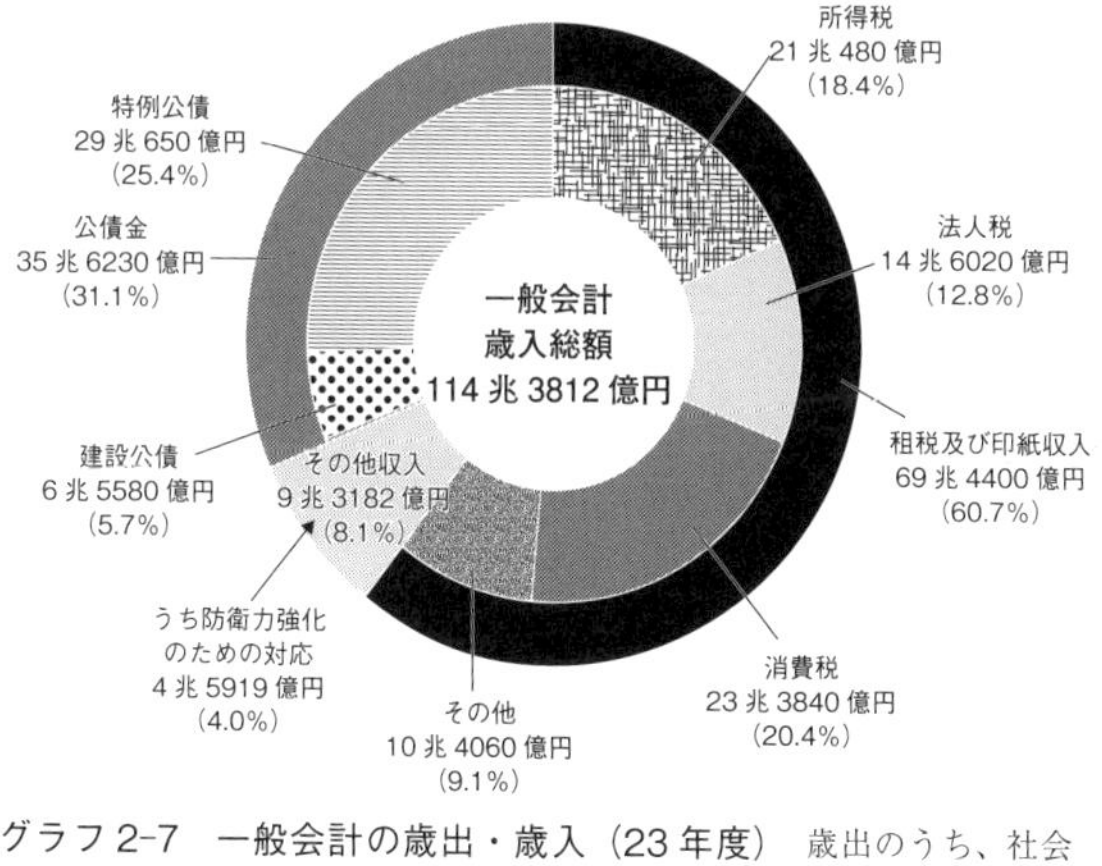

グラフ2-7　一般会計の歳出・歳入（23年度）　歳出のうち、社会保障費が32%。政府の借金を返すための国債費が22%。どちらも今後、増えることはあっても、減ることはおそらくない。両者の残りで、その他の施策を行っている。また、この国の財政では、毎年、巨額の借金をして、巨額の借金を返している　（出典）財務省「令和5年度一般会計予算 歳出・歳入の構成」

特例国債は、年金や医療費、介護費、生活保護費などのお金を集めるための国債です。

建設国債によって集めたお金は、道路や橋などのインフラ等を作るために使われます。

以上からは、一般会計の3分の1近くが、借金をして得られたお金、だということがわかります。日本では、1965年度に初めて国債を発行しましたが、現在まで、その「残高」が減ったことは一度もありません。[41]

「一般会計」の2倍以上の「特別会計」

ここまで見てきたのは、「一般会計」における借金です。先ほど触れたように、国の会計には、もう1つ、「特別会計」と呼ばれるお金が存在します。
特別会計には、「交付税及び譲与税配布金特別会計」「地震再保険特別会計」「国債整理基金特別会計」など、13種類があります。これが巨額です。合計額は、20年度の決算で、歳入418兆円、歳出405兆円でした。[42]
同年度の一般会計の決算（歳入185兆円、歳出148兆円）[43]と比べても、その2倍以上。特別会計がいかに大きいか、がわかるでしょう。
では、日本政府の本当の経済規模はどのくらいなのか。「一般会計」と、13ある「特別会

表2-1　特別国債の貸借対照表（20年度末）「負債の部」の3項目を足した金額、約1210兆円、が日本政府の借金総額。同年度のGDPの2.26倍　（出典）財務省「令和2年度 国の財務書類（一般会計・特別会計）の概要（決算）」より10億円未満四捨五入

貸　借　対　照　表

（単位：円）

2020年度末		2020年度末	
＜資産の部＞		＜負債の部＞	
現金・預金	69兆4640億	未払金等	12兆1410億
有価証券	119兆6840億	賞与引当金	3430億
未収金等	12兆6710億	政府短期証券	92兆7780億
前払費用	3兆6610億	公債	1083兆9310億
貸付金	120兆930億	借入金	32兆8630億
運用寄託金	112兆5530億	預託金	7兆700億
貸倒引当金	▲1兆6130億	責任準備金	9兆4960億
有形固定資産	191兆2720億	公的年金預り金	121兆7980億
国有財産（公共用財産を除く）	32兆5210億	退職給付引当金	5兆7160億
公共用財産	154兆750億	その他の債務等	9兆8180億
物品	4兆6540億		
その他の固定資産	210億	負債合計	1375兆9540億
無形固定資産	3530億		
出資金	83兆3890億	＜資産・負債差額の部＞	
その他の資産	9兆2640億	資産・負債差額	▲655兆1630億
資産合計	720兆7910億	負債及び資産・負債差額合計	720兆7910億

計」は、相互に、お金の複雑なやり取りをしているため、重複したお金があります。この重複分を差し引いた、日本政府の経済規模は、20年度（決算）、歳入353兆円、歳出306兆円[44]。日本のGDPが同年度に536兆円[45]ですから、歳出はその6割近くです。

日本政府の借金の、実際の金額も見てみましょう。

これは、特別会計の負債のうち、「政府短期証券」「公債」「借入金」を合計すると出ます（表2-1）[46]。その額、20年度末の時点で1210兆円。同年度の一般会計（当初予算）の11・9倍。GDPと比べると、その2・26倍、226％になります。これは、先進国すべての中で、ダントツの数字。そして、この数字は増加していく一方です。

日銀の「金融政策」とは何か？

一般に、統治がきちんとできている各国・地域の政府は、「財政政策」「金融政策」と呼ばれる、2つの経済政策を用いて、経済に刺激を与え、適切な経済成長の下、物価や賃金がそれに見合うように上がっていくこと、を目指します。

「財政政策」は、政府のお金を、さまざまな分野にまわすことで、経済を刺激し、経済成長を促そうという施策です。23年度の一般会計（当初予算）の、歳出の4位は「公共事業」（6兆円）でしたが、これがその典型です。

一方、「金融政策」は、中央銀行（日本では日本銀行）が、金利を調整したり、市場（民間部門）に出回るお金の量を調整したりして、経済を刺激し、適切な水準の経済成長が実現すること、を目指します。ここからは、日本の金融政策について、少し見ていきましょう。

日本は、90年代初めのバブル崩壊以降、経済成長が止まり、長期間の停滞が続きました。これは、①バブル崩壊で巨額の損失を出した企業が、新たな投資をためらったり、企業などにお金を貸す金融機関が、融資に積極的になれなかったりしたこと。②日本のメーカーが、工場を海外に移転するなどして、製造業の「空洞化」が進んだこと、等が理由です。

そうした状況に対して、日本銀行（日銀）は近年、「金融緩和《かんわ》政策」と呼ばれる一連の施策を取ってきました。

これは簡単に言うと、企業が、新たな投資をしたくなる環境を作ることで、①企業の投資が生まれる。②それによって、関係する産業が利益を得て、③そこから、新たな投資が生まれたり、④従業員の賃金が上がったりする。⑤新たな投資や、従業員の収入の増加（消費の増加につながる）は、関係する産業に恩恵をもたらし、⑥多くの企業が利益を得られるようになる。⑦結果、さらに新たな投資や賃上げが生まれる、といった経済の好循環、を実現するための経済手法です。

日銀は具体的には、物価の2％の上昇を、賃金上昇を伴う形で、持続的・安定的に実現する、という目標を掲げています。これを、「2％目標」と呼びます。[47]

その中で22年2月、ロシアがウクライナに侵攻しました。

対して、欧米各国は、ロシア産の原油や天然ガス等の購入を制限。さらに、小麦など穀物の一大輸出国であるウクライナからの穀物輸出が滞《とどこお》るようになると、原油、天然ガス等のエネルギー価格や穀物価格が上昇。世界的に、物価が急激に上昇し始めました。

影響は、日本にも及んでいます。90年代以降、長年にわたって上がらなかった物価が、ウクライナ戦争開始以降、上昇し始めたのです。

ただし、これが日本の経済成長につながるかどうかは、まだわかりません。エネルギーや穀物などの価格が上がったことで起きたインフレを、「コスト・プッシュ型」（価格の上昇が後押しする、の意）と呼びます。これに対して、日銀が起こそうとしてきたのは、「デマンド・プル型」（需要が引っ張る）、「過剰流動性《りゅうどうせい》型」（民間経済に多くのお金が流入することで物価が上がる）、と呼ばれるインフレです。22年以降、起きているコスト・プッシュ型のインフレが、持続的な経済成長につながるか、はまだ明らかではありません。

23年10月末時点で、日銀が実施している金融緩和政策には、2つの柱があります。「長短《ちょうたん》金利操作」（イールドカーブ・コントロール。YCC）と「資産買い入れ」です。

「長短金利操作」は、①長期金利（この場合は、「10年物の国債」の利回り）をコントロールする「長期金利操作」と、②銀行などの金融機関が、日銀にお金を預けるときの「当座預金」、の一部の金利を調節する「短期金利操作」、から成っています。

①の「長期金利操作」の手法として、日銀は、「10年物国債」の金利、を23年10月末時点で、実質マイナス1％～プラス1％＋α《アルファ》に誘導すること、を目指しています。

ここでのポイントは、10年物国債の金利を、1％＋α以下に抑えることです。日銀は、それによって、市場における金利全体を低く抑え、企業や個人などがお金を借りやすくしようとしています。企業の投資や、個人の消費が活発になることで、経済を活性化させたい、と考えているのです。

日銀はその方法として、10年物国債を、金融機関などから大量に買い取っています。

国債などの債券は、価格と利回りが逆に動くという特徴があります。詳述は省きますが、国債の価格が上がれば、利回りが下がり、価格が下がれば、利回りが上がります。10年物国債が大量に買われる＝需要が増えることで、その価格は高くなり、利回りは下がります。

日銀は、もし何らかの原因で、同国債の利回りが1％を一定程度、超えそうになった場合、同国債を大量に買い入れる、と言うのです。これによって、10年物国債の金利は、低い水準に抑えられます。金利が低ければ、企業などが、それだけ低い金利でお金を借りられるようになり、経済活動が活発になる、と日銀は考えているのです。

ちなみに、日銀はこの水準（上限水準）を、21年3月～22年12月の期間中、0・25％程度で維持してきました。しかし、ウクライナ戦争による世界的な資源高など、からの物価上昇の波が、日本にも波及。国内の物価が高くなり始めたことで、22年12月に、同利回りを約0・5％に上げます。そして23年7月、日銀は、実質1％にまで引き上げること、を公表。

さらに同年10月には、1%を一定程度（+α）であれば認める、という決定をしたのです。[48]

②の短期金利操作では、日銀の当座預金のうち、「政策金利残高」と呼ばれるものに、マイナス0・1%の金利を適用しています。「政策金利」は「無担保コール翌日物金利」とも呼びます。金融機関が、日々の資金の過不足を調整し合う「コール市場」での、翌日に返す資金の金利、を意味しています。コールは、呼ぶ、の意。ある金融機関に、資金需要が出れば（呼べば）、他の金融機関がすぐに供給する（応える）ことから、この名がついています。

この場合、金融機関は、日銀の当座預金にお金を預けたままだと、金利を支払う必要が出てきます。そこで金融機関は、日銀に預けたお金を引き出し、企業などに対し、低金利でもよいので、お金の貸し出しを増やそうとすることになる。日銀はそう考えたのです。

市中《しちゅう》におカネを流す「資産買い入れ」

金融政策の2つ目が「資産買い入れ」です。

これは、「ETF」（上場《じょうじょう》投資信託）を年間約12兆円、「REIT《リート》」（不動産投資信託）を年間約1800億円、を上限に購入する、などの施策を指します。[49]

「投資信託」は、金融機関が、株式や債券、不動産などを、あるテーマに沿って幅広く分散して買い集め、1つにした金融商品です。ＥＴＦはこの一種で、証券取引所に上場している企業の株式を、「ＴＯＰＩＸ」《トピックス》（東証《とうしょう》株価指数）、「日経《にっけい》平均株価」などといった指数に連動するように買い、1つの商品にしたもの。日銀は、金融機関からＥＴＦ（現在、購入しているのは、「ＴＯＰＩＸ」連動型の投資信託）やＲＥＩＴを買うことで、その代金が、金融機関を通じて日本経済全体に出回ること、を期待しています。

以上のように日銀は、①長短金利操作、②資産買い入れ、の2つの手法で、日本経済全体にお金を行き渡らせ、それによって物価が上がり、企業が売り上げや収益を増やし、結果的に賃金や投資が増加していくという、経済の好循環が起きること、を目指してきました。

日銀が、ウクライナ戦争などに端を発する世界的なインフレ基調の中で、以上の2つの金融緩和策を変更するのか。するのなら、どのように実行するのか、が注目されています。

日本経済についての解説は、ここまでとしましょう。この国の経済は、「普通サイズ」に回帰しつつあり、それを支える政府の借金は、「異様なサイズ」になっています。

第3章　急速に「暑く」なり、「激甚《げきじん》災害」が増えていく

環境問題

日本の、そして世界の、「環境」「生態系」が危機に瀕《ひん》しています。

地球の平均気温は、産業革命の開始（18世紀半ば）以降、上昇を続けています。

原子力発電（原発）を巡っては、推進派と反対派で、意見が二分されています。

陸上と海洋で、環境汚染・環境破壊が進み、生態系に異変が起きています。

環境問題は多々ありますが、本章では、「地球温暖化」に絞って解説していきましょう。

超長期では、上下動を繰り返してきた地球の平均気温

ごく長期で見れば、地球の平均気温は、上下に変化することが普通でした。80万年前〜1万年前、の地球の平均気温（より具体的には、詳細《しょうさい》なデータの取れる南極の気温推定値）を見てみましょう（グラフ3－1）[1]。大きく変動していること、がわかります。

この原因としては、①「太陽活動」の変化：可視光《かしこう》や赤外線、紫外線、その他の放射線の量が、（仕組みはまだよくわからないけれど）増減すること。②大気と海水の間における、C

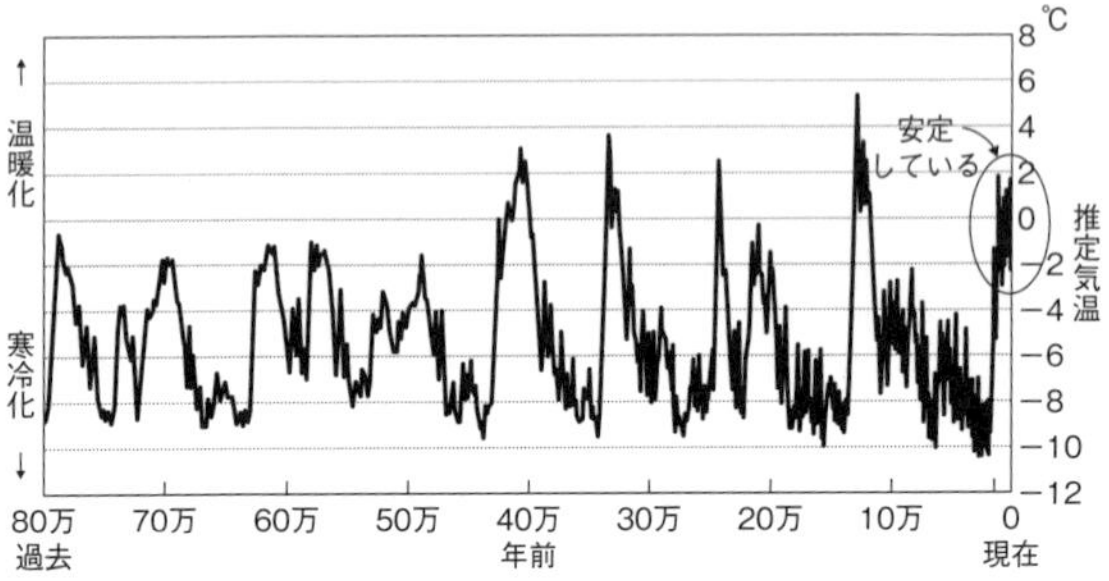

グラフ3-1　80万年前～現在の、南極の気温推定値　約1万年前までは、数万年単位の長いスパンで、上下に動いている。これは、地球誕生以来の歴史では、普通のこと。しかしそれは、1万年ほど前に、急に安定。この前後の時期に、ホモ・サピエンスは、定住・農耕を始めた　（出典）国立環境研究所地球環境研究センター「ココが知りたい地球温暖化」

O_2（二酸化炭素）など「温室効果ガス」のやり取りの変化。③火山の噴火による「エーロゾル」（大気中の微粒子）の増加。④「大気中の水分量」の変化、などが挙げられます。

では、同グラフで、約1万年前～現在、の地球の平均気温はどうか。きわめて安定していました。原因は、①～④のようなさまざまな要因が絡み合ったこと、だと見られています。つまり、たまたまそうなったのです。

この1万年前と言えば、人類が「農耕」を始めた時期。さらに、人類は同時期、「定住」という生活形態を取り入れます。農耕と定住では、定住の方が先でしたが、農耕は大規模な定住を可能にし、ヒトは、やがて文明を築くまでになりました。

産業革命の開始期〜現在、の地球の平均気温はどうか（グラフ3－2）。[2]地球の平均気温が一貫して上昇していること、がわかります。

注目すべきは、グラフで示された時間軸です。グラフ3－1では、数千年単位の時間を掛けて、地球の平均気温が変化していました。一方、グラフ3－2での平均気温の上昇は、数十年単位で進んでいます。近年、顕在《けんざい》化している「気候変動」が、これまで地球上で起きてきた平均気温の変化とは比べ物にならないほど、急速に進んでいること、がわかるでしょう。

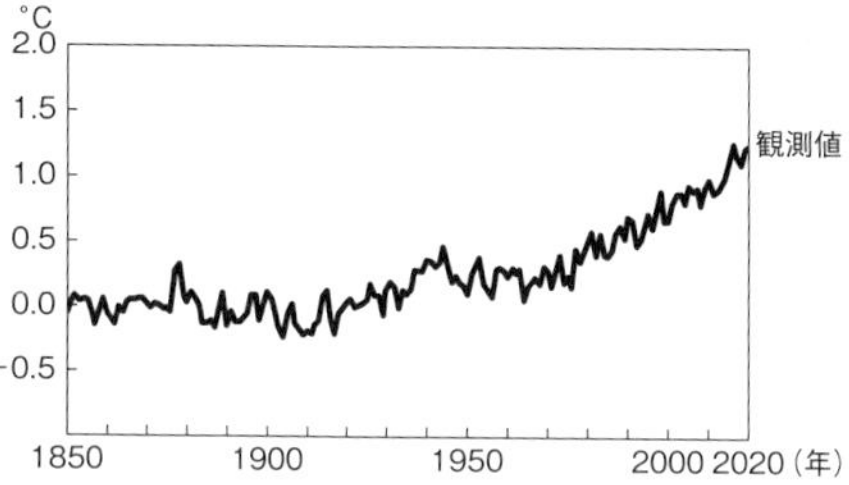

グラフ3-2　産業革命期（1850年）〜現在の、地球の平均気温の変化　急激に上昇を始めていること、が見て取れる。これまでの約1万年間、安定していた気候を、ヒトの活動が変えてしまった　（出典）IPCC「第6次評価報告書 第1作業部会報告書 政策決定者向け要約」

ちなみに、本章で述べる「気候変動」。意味するところは、地球の平均気温の急激な上昇、だけに留《とど》まりません。そこには、平均気温の急上昇による「極端《きょくたん》現象」、なども含まれます。すでに、日本も含めた各地で、豪雨や干ばつ、猛暑などの被害が深刻化しています。さらに今後、一時的な、局所《きょくしょ》的な寒冷化等が起きてくる可能性もあります。こうした「気候危機」全般を指す幅広い概念が、「気候変動」なのです。

150年前より1℃以上上がった地球の平均気温

①気候の研究者が、温暖化の現状や今後などについて研究結果を発表したり、②政府の代表団らが対策等を話し合ったりする、国連の「IPCC」（気候変動に関する政府間パネル：Intergovernmental Panel on Climate Change）、の最新報告書、「第6次評価報告書」の「第1作業部会報告書」（22年）、を見てみましょう。

そこには、「人間の影響が大気、海洋および陸域を温暖化させてきたことには疑う余地がない」「大気、海洋、氷雪《ひょうせつ》圏および生物圏において、広範囲かつ急速な変化が現れている」「2011～20年の世界平均気温は、1850～1900年よりも1・09℃高く」「海上（0・88℃）よりも、陸域（1・59℃）の昇温の方が大きかった」こと、が記されています。[3]

過去200万年間で一番高い、大気中のCO_2濃度

　また、同報告書は、現在すでに、次のような現象が起きている「確信度」が高い、または非常に高い、と述べています。

・２０１９年の、大気中のCO_2の濃度は、少なくとも過去２００万年間のどの時点よりも高く、メタンと一酸化二窒素の濃度は、少なくとも過去80万年間のどの時点よりも高かった（注：世界気象機関［ＷＭＯ］によれば、同CO_2濃度は、その後、20年、21年、22年と、過去最高値を更新している）[4]。

・世界平均気温は１９７０年以降、少なくとも過去２０００年間にわたって、他のどの50年間にも経験したことのない速度で上昇している。

・世界平均海面水位は１９００年以降、少なくとも過去３０００年間のどの１００年間よりも急速に上昇している（注：地球の海面は１９９３年以降、極地の氷が解けたりした影響により、世界平均で10㎝以上上昇している）[5]。

・（熱波を含む）極端な高温が１９５０年代以降、ほとんどの陸域で頻度《ひんど》と強度が増加している一方、（寒波を含む）極端な低温の頻度と厳しさは低下している。

・大雨の頻度と強度は１９５０年代以降、（変化傾向の解析のために）十分な観測データのある陸域のほとんどで増加している。[6]

今世紀後半には、1・4～4・4℃ほど温暖化が進む可能性

さらに、同報告書は、世界の平均気温が、将来的にどのように変化していくのか。その予測についても発表しています。

報告書は、異なる前提の5つのシナリオの下で、シミュレーションを行っています。

まずは「最善シナリオ」。21世紀半ば（50年前後）に主要な温室効果ガスをゼロにし、その後、大気中の同ガスを、植林や化学的手法などによって回収し、減らしていくこと、を前提とするシナリオです。そこでは、1850～1900年の世界の平均気温と比べた場合、短期（2021～40年）では1・5℃。中期（41～60年）で1・6℃。長期（81～2100年）で1・4℃、上昇する可能性が非常に高い、とされています。[7]

一方、温室効果ガスの「最大排出シナリオ」。気候変動への対策を取らないケースです。そこでは、短期1・6℃、中期2・4℃、長期4・4℃、の気温上昇が起きる可能性が非常に高い、と予測しています。[8]

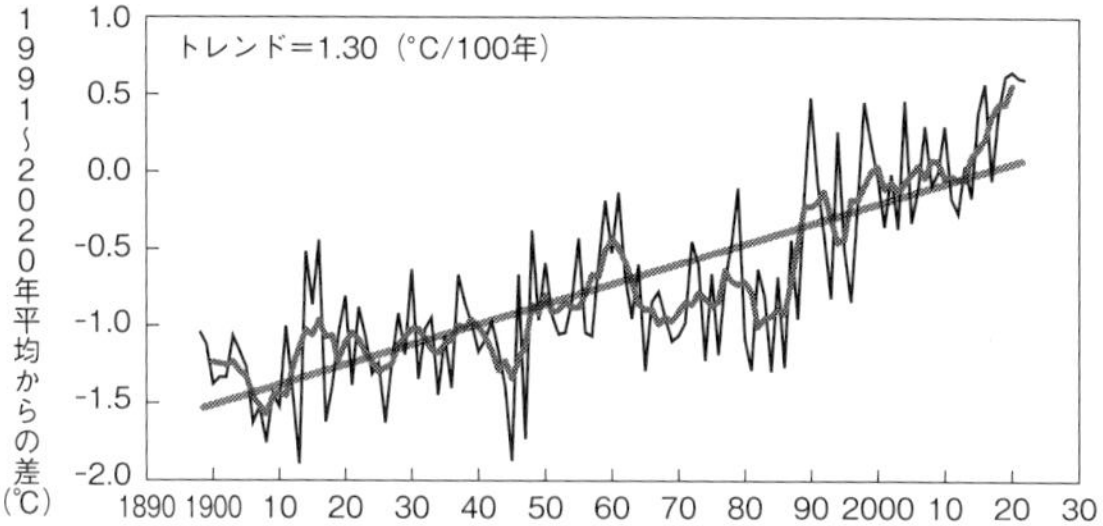

細線：各年の平均気温の基準値からの偏差、太線：偏差の5年移動平均値、直線：長期変化傾向。

グラフ3-3　1898年以降の、日本の平均気温の変化（直線は、年平均気温偏差の回帰直線）　右肩上がりに上昇中。1898年以降の上昇幅、すでに1.5℃ほど。人間は、体温が1.5℃上がると、大変なことに。日本に生きる生命も、1.5℃分、影響を被っている。ヒトもまた　（出典）気象庁「日本の年平均気温偏差の経年変化（1898～2022年）」

この国で加速する気候変動

日本でも、気候変動が進んでいます。

日本国内の「平均気温」の、1898年～近年の変化。そこでは、右肩上がりに1・5℃程度上昇していること、がわかります（グラフ3－3）。また、1990年代以降、高温になる年が頻繁《ひんぱん》に現れ出したこと、も見て取れます。[9]

国内で、「極端な暑さ」となる地域が増えています。

まず「最高気温」（23年9月末時点）。1875年の観測開始以降、1位は、静岡県浜松市で20年8月17日、埼玉県熊谷市で18年7月23日、に記録された41・1℃。最高気温の上位5回のうち4回、上位10回のうち7回、が18年以降でした。[10]

また、23年7月の日本の平均気温。統計を開始した1898年以降で「もっとも高い7月」となり、「平年」を示す基準値（1991〜2020年の平均）を1・91℃上回っています[11]。

次に、「最低気温」が高い日。観測史上、上位10回のうち6回が、23年（の8月）に記録されているのです。上位10回のうち9回、が18年以降でした[12]。

日本近海の「海水温」も上昇しています。21年までの100年間で、海面の水温は1・19℃上がっています[13]。同期間に、世界全体では0・56℃、北太平洋では0・55℃、上昇しました[14]が、これを上回るペースで温かくなっているのです。

近年、猛暑や、極端な豪雨、巨大台風の到来、などの報告が相次いでいます。

たとえば、23年夏、10年夏の猛暑。21年8月の西日本豪雨。同年7月の豪雨による静岡県熱海市での大規模土砂《どしゃ》崩れ。20年7月の熊本豪雨。19年9月の巨大台風15号、19号。同年8月の北九州集中豪雨、などが挙げられます。

気象庁によると、「猛烈な雨」とされる、1時間当たり降水量80㎜以上、を観測した年間回数が増えている、とも言います。この記録を取り始めた最初の10年間（1976〜85年）

と、直近10年間（2013〜22年）を比べると、年間の平均発生回数が、約14回→約25回へと、1・8倍に増えているのです。[15]

図3-1　ソメイヨシノの開花時期　1991〜2020年の平均値が、以前と比べて北上している。全国的に、春先の気温が上がり、開花時期が早まっていることを表している
（出典）環境省「地球温暖化で桜の開花に異変!? 日本列島でいっせい開花も？」

出現する「生態系」の異常

「生態系への影響」も目立ってきています。

典型例が、「さくらの開花時期」の早まりです。さくら（ソメイヨシノ）が4月1日までに開花するところは、1956〜85年の平均で、三浦半島（神奈川県）から紀伊半島（三重県、奈良県など）にかけての本州の太平洋岸と、中国、四国地方でした。一方、91〜2020年の平均値では、関東地方の北部から北陸地方の西部にかけて、となっています（図3-1）[16]。全国的に、開花の時期が早まっているのです。これは、春先の気温が高くなっていること、を反映しています。

農業にも影響は及んでいます。たとえば、高温となる日が増えたことで、稲（水稲《すいとう》）に高温障害が起き、粒が白く濁る「白未熟米」の発生するケースが、各地で報告されています。また、果物にきちんと色がつかない「着色不良」、も増えています。[17]

「海の生態系」も深刻な影響を受けています。

魚の生息域が変わってきた事象が、多くの地域で目撃されています。

静岡県の伊豆半島と東京都の伊豆大島を含む、相模湾・駿河湾海域では、直近20年間に、それまでいなかった熱帯・亜熱帯性魚類23科59種が越冬したこと、が確認されました。[18] 海水温が、冬になってもそれほど下がらなくなり、生き延びることが可能になったのです。一方、急激な水温上昇は、それまで同海域にいた魚類の生育環境を悪化させています。

各地から、食用にする魚の漁獲量が変化した、という報告が上がっています。

たとえば、暖かい海を好むサワラ。これは本来、東シナ海や瀬戸内海などで獲《と》れる魚です。しかし、1999年を境に、従来あまり水揚げされていなかった日本海で、大量に水揚げされるようになりました。1984～98年に漁獲されたサワラが、年間100～600トン台だったのに対し、2000年以降は3000～1万2000トン台と、けた違いに増えているのです。[19] 暖海系のブリも、北海道では以前、ほとんど獲れなかったのに、近年では、北海道で水揚げされたものが、全国の漁獲量の1割ほどを占めるようになっています。[20]

人為由来の温室効果ガスの75％を占めるCO₂

産業革命以降（さらに近年）、地球全体と日本で温暖化が急速に進行している原因は、人類の活動から生み出される（＝人為《じんい》由来の）「温室効果ガス」の増加です。

太陽光が、地球の表面に当たると、そこに含まれたエネルギーが地表を暖めます。すると、暖められた地表からは、多くのエネルギー（熱）を含んだ「赤外線」が放射されます。

温室効果ガスがなければ、放射された赤外線は、宇宙空間へと放出されます。一方、温室効果ガスがあると、同ガスの分子は、放射された赤外線を吸収したり、赤外線とぶつかって、赤外線を地表へと再放射したりします。これを「温室効果」と呼びます。

温室効果は、大気中に含まれる同ガスの量が多くなればなるほど、強くなります。

現在の地球の平均気温は、約14℃。もし、温室効果ガスがなければ、地球の平均気温はマイナス19℃くらいになっていた、と推測されています。適度な量の同ガスは、人類や、今の生態系に適した気温をもたらしました。しかし産業革命後、経済活動が活発化し、その排出

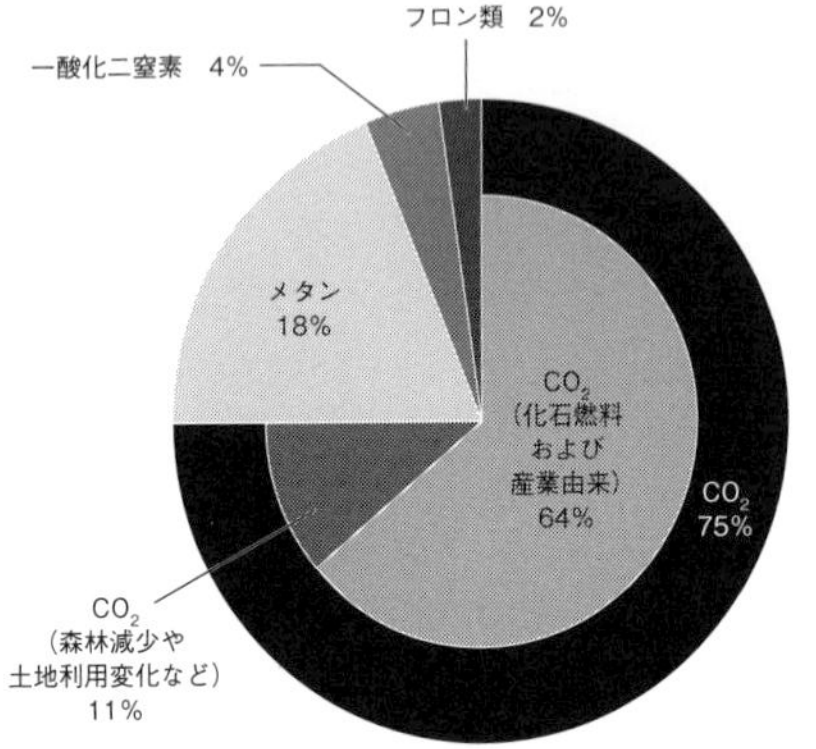

グラフ3-4　世界における、温室効果ガスの内訳（19年） CO_2が、全体の75%ほどを占めている。すべての温室効果ガスの排出を減らすことが欠かせないが、とりわけCO_2の排出削減は喫緊の課題（出典）IPCC「第6次評価報告書 第3作業部会報告書 気候変動2022 政策決定者向け要約」

が増え過ぎたことで、地球の平均気温が急速に上昇しているのです。

温室効果ガスにはいくつかの種類があります。代表が「CO_2」。

人為由来の温室効果ガスの総排出量に占める、ガスの種別割合（世界平均。「あるガスの温室効果の強さ」×「そのガスの総量」で算出）では、ダントツの1位です。具体的には19年の数字で、①「CO_2（化石燃料および産業由来）」が64%。②「CO_2（森林減少や土地利用変化など）」が11%、となっています。合計で、温室効果ガスの75%を、CO_2が占めているのです。

ちなみに①は、石炭や石油、天然ガスなどの化石燃料等から排出されたCO_2。②は、③森林の減少や、④耕作地や牧草地などへの、あるいは耕作地や牧草地などからの、土地の利用形態の変化によって、CO_2の吸収源が減ったこと、を指しています。
他の同ガスは、「メタン」18％、「一酸化二窒素」4％、「フロン類」2％（グラフ3－4。四捨五入等があるため、合計は100％にならない）。[21]
「メタン」は、湿地や池、水田などで植物が分解するときに発生します。また、牛などのゲップにも多くのメタンが含まれていて、大きな問題とされています。さらに、天然ガスを採掘する際にも、大量に発生します。

諸国が「パリ協定」で気候変動に対抗する

こうした状況の中、気候変動を食い止めるために、温室効果ガスの排出を削減しようとする動きが、国際的に進んでいます。成果の1つが、「パリ協定」です。

これは、15年にパリで開催された「COP21」（第21回国連気候変動枠組み条約締約国《ていやくこく》会議）で採択され、翌16年に発効《はっこう》（効力が発生）した「条約」。

ちなみに、広義の「条約」は、国際的な取り決め全般、を指します。そこには、「条約」の名がついた国際誓約《せいやく》。条約の延長線上にある「協定」。条約の締結国が、実現性を高めるために定める「議定書《ぎていしょ》」、等が含まれます。

パリ協定の核となる内容は、世界共通の長期目標として、「産業革命以前」と比べた地球の平均気温の上昇を、「2℃より充分低く保つこと」「1・5℃に抑える努力を追求すること」、です。[22] これらは、「2℃目標」「1・5℃目標」と呼ばれます。

ではなぜ、目標として、2℃／1・5℃という数字が示されるのか。

そこには、地球の平均気温の上昇を、2℃／1・5℃までに留《とど》めないと、地球の生態系と人間の社会全体に大きな災厄がもたらされるという、各国・地域の政府、研究者、国際機関、NGO（非政府組織）などの強い危機感があるのです。

パリ協定では、これを実現すべく、①5年ごとに、世界全体としての対策の実施状況、を検討する仕組みの創設。②先進国から途上国などへの、気候変動対策用の資金の提供。③「二国間クレジット制度」も含めた市場《しじょう》メカニズムの活用、などが定められています。[23]

③の「二国間クレジット制度」は、2つの国が取り決めをし、A国が、B国に資金・技術などの支援を行うことで、B国が温室効果ガスの排出量を減らした場合、その中の一部を、

A国の同ガス排出量の削減分に加算できる、という仕組みです。

先進諸国は近年、この「2℃／1・5℃目標」の達成のため、50年までに、①CO_2など温室効果ガスの「排出量」と、②植林したり、森林を適切に管理したりする（木は平均40年ほどで成長が止まり、以降、CO_2吸収量が減るので、同時期に伐採し、新たに植林する）こと等による「吸収量」、が同じになる「カーボンニュートラル」（カーボン：Carbon は炭素）＝「ネットゼロ」（ネットは、収支）、を実現する目標を掲げています。[24]

日本も20年10月に、50年までのカーボンニュートラル、を宣言しました。[25]

さらに、21年10～11月に英グラスゴーで開かれた、「COP26」（第26回締約国会議）では、各国の合意文書「グラスゴー気候合意」に、「1・5℃目標」を達成するための努力が重要だ、と記されました。[26] 現在、関係諸国の関心は、「2℃目標」から、「1・5℃目標」の実現に移りつつあるのです。

ただし、同合意の実効性はかなり微妙です。たとえば、CO_2を大量に排出する「石炭火力発電」の規制について。「排出削減対策の講じられていない石炭火力発電の『段階的な削減』と、非効率な化石燃料への補助金の『段階的な停止』に向けた努力を加速させる」[27]など、関係各国の妥協が生んだ、曖昧《あいまい》な内容になっています。今後の規制の進展が望まれます。

G7と国際機関が掲げた目標

こうした動きと関連して、国際機関のIEA（国際エネルギー機関：International Energy Agency）は21年5月、50年までに「カーボンニュートラル」を実現するための「ロードマップ」（工程表《こうてい》）、を発表しています。

そこでは、①すぐに、温室効果ガスの排出削減対策が講じられていない「石炭火力発電」の新設を停止すること。②30年までに、先進国が、温室効果ガスの排出削減対策が講じられていない「石炭火力発電」から撤退すること。③同年までに、世界で毎年、10・2億kW（通常の原発約1020基分）の「太陽光発電」「風力発電」を導入すること。④35年までに、先進国の「発電部門」で、ネットゼロを達成すること。⑤40年までに世界で、温室効果ガスの排出削減対策が講じられていない、すべての「火力発電」（石炭＋石油）から撤退すること。⑥50年までに、世界の発電量のほぼ7割を、太陽光発電や風力発電にすること。

その上で、⑦同年（50年）までに世界で、「発電部門」のネットゼロを達成すること、が不可欠だと述べているのです。[28] よく読むとこれ、かなりの目標です。

ロードマップからは、とくに「発電部門」で、CO_2を始めとする「炭素」を排出する技術・設備などを、排出しないものへと、早期に変換することの重要性が見て取れます。

この、炭素を排出する技術・設備から、排出しないものへの変換を、「脱炭素」「脱炭素化」と呼びます。


脱炭素に関しては、23年5月に行われた「G7広島サミット」でも、これに言及した「コミュニケ」（首脳宣言）が採択されています。

ここでは、①「1・5℃目標」を達成するため、温室効果ガスを35年までに、19年比で60%削減させる必要性を確認する。②「1・5℃目標」を実現するため、25年の「COP30」よりもかなり前の時点で、35年までの「削減目標」を可能にする国内政策を、「大幅に強化された野心を反映した形」で取りまとめ、提出することを求める。③35年までに「電力部門」で、「完全に（fully）、または大部分で（predominantly）脱炭素化」することがG7諸国の目標である。④これを実現するため、30年までに、「太陽光発電」を10億kW（通常の原発約

1000基分）以上にまで増やし、「洋上風力発電」を1億5000万kW（同150基分）増加させる、などといったことが謳《うた》われているのです。[29]

さらに、23年9月にインドで行われた「G20サミット」では、首脳宣言の中で、30年までに、再エネの発電容量を3倍にすること、が掲げられました。[30]

「SDGs」。その、またの名は、「我らの世界を変革する」

これは、「SDGs」と呼ばれる国際目標を、多くの人が耳にするようになりました。「持続可能な開発目標」（Sustainable Development Goals）のこと。15年9月に国連総会で採択された、17の目標から成り、30年までの達成が謳《うた》われています。

そこでは、①貧困をなくそう、②飢餓《きが》をゼロに、から始まり、⑬気候変動に具体的な対策を、⑭海の豊かさを守ろう、⑮陸の豊かさも守ろう、など、さまざまな目標が掲げられています（図3－2）。さらにその下には、169の達成基準と、230の指標が定められています。[31]

SDGsという言葉が、人々の間に広がったことで、環境問題や社会問題などの解決に対

図3-2　SDGsのアイコン　①貧困をなくそう、⑤ジェンダー平等を実現しよう、⑬気候変動に具体的な対策を、⑯平和と公正をすべての人に、など世界の目指すべき目標が17個、掲げられている。これらは、地球上の人々、国々・地域が達成すべきゴール　（出典）国際連合

して、社会が積極的に動く1つのきっかけができた、とも言えるでしょう。

ちなみに、国連総会で採択された、その採択文書の正式名称は、「我らの世界を変革する：持続可能な開発のための2030アジェンダ」(Transforming our world: the 2030 Agenda for Sustainable Development)[32]。日本では、SDGs=地球環境の保護、という印象を持っている人もいますが、採択文書の正式名称を見ればわかるように、SDGsでの目標はそれだけにとどまりません。SDGsは、貧困や飢餓の撲滅などを謳った2000年の「MDGs」(Millenium Development Goals：ミレニアム開発目標。15年に終了)の後継目標です。貧困や飢餓への対処なども、きわめて重要視されています。

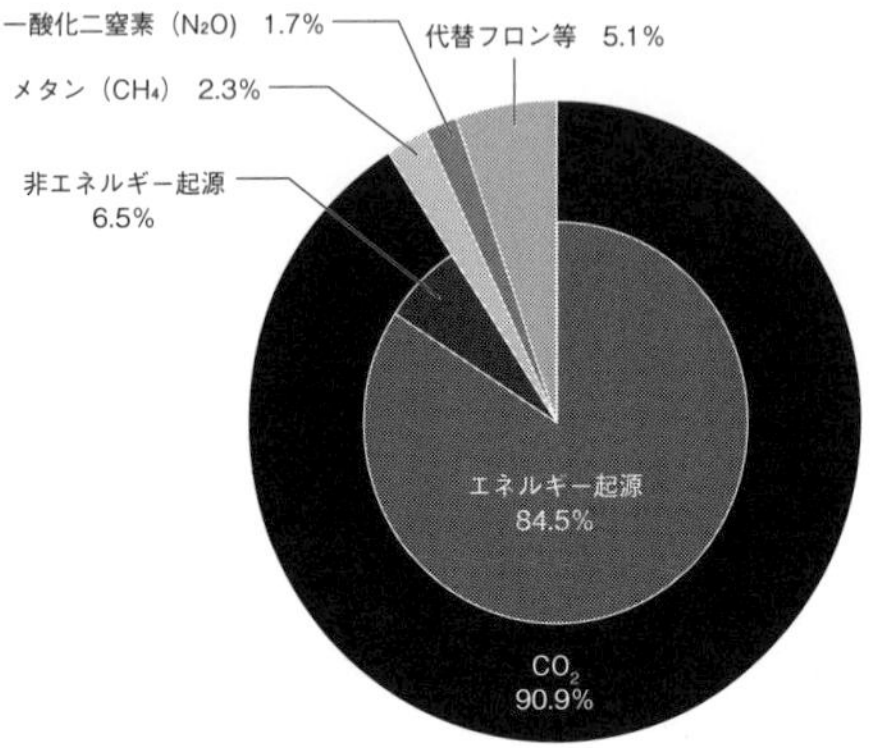

グラフ3-5 日本における、温室効果ガスの内訳（21年度） 日本の温室効果ガス合計排出量11億7000万トン（CO_2換算）に占めるCO_2の割合は、世界平均よりも大きい。その削減は必須 （出典）環境省「2021年度温室効果ガス排出・吸収量（確報値）概要」

この国は、CO_2をどれだけ排出しているのか？

話を、日本に移しましょう。日本は、「温室効果ガス」の大半を占める「CO_2」を、どれだけの量、排出しているのか。

21年度、日本における「温室効果ガス総排出量」（CO_2に換算したときの量）の内訳は、CO_2が91％と圧倒的な多さ。日本のCO_2排出量は、約10億6400万トン。

他の温室効果ガスは、代替フロン等（5％）、メタン（2％強）、一酸化二窒素（2％弱）（グラフ3−5）。[33]

国内のCO_2排出量が約10億トン、温室効果ガスに占めるCO_2の割合が約9割、という数字は押さえておきましょう。一人当たりCO_2排出量は近年、9～10トンです。[34]

では日本で、CO_2排出量の大きい分野は何か。
「直接排出量」（電気・熱配分前排出量）と呼ばれる数字があります。「発電」のときに排出されるCO_2を、「エネルギー転換部門」の中に入れて、カウントしたデータです。

21年度では、①エネルギー転換部門40％（発電が、このうちの約9割を占める）。②産業部門25％。③運輸部門17％。④非エネルギー起源CO_2 7％。⑤業務その他部門6％。⑥家庭部門5％、となっています（グラフ3－6）[35]。

「直接排出量」は、国際比較のため、国連に提出される重要なデータです。「間接排出量」（電気・熱配分後排出量）と呼ばれる数字もありますが、ここでは説明を控え

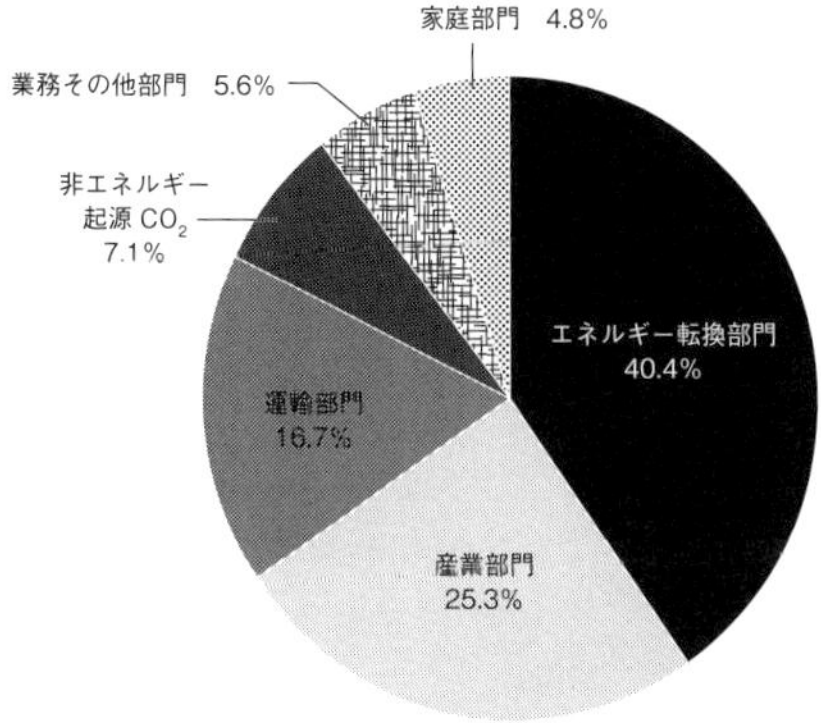

グラフ3-6 日本におけるCO_2直接排出量の部門別割合（21年度） エネルギー転換部門が約4割を占める。この分野でのCO_2排出削減は必須の課題。他の排出源も同様 （出典）「2021年度温室効果ガス排出・吸収量（確報値）概要」

ます。

「直接排出量」の数字からは、気候変動を食い止めるために、①〜⑥すべてで、とりわけ、全体の4割強を占める「エネルギー転換部門」で、変革が不可欠なことがわかります。

「脱炭素化」が遅れる日本

日本政府は、この課題に、どう対応しようとしているのか。

前述したように、政府は20年、「50年にカーボンニュートラルの実現を目指すこと」、を宣言しています。翌21年には、「温室効果ガスの排出量を30年度に、13年度比で46％削減する」という目標も示しました[36]。では、そのカーボンニュートラル、本当に可能なのか。


では、まず20年度の数字を見てみましょう。資源エネルギー庁によれば、発電電力量の「電源構成比」の内訳は、①「天然ガス」39％。②「石炭」31％。③「再生可能エネルギー」（再エネ、とも。水力発電を除く。太陽光発電＋風力発電＋地熱発電＋バイオマス発電）12％。④「水力」8％。⑤「石油等」6％。⑥「原子力」4％、だったと言います（グラフ3－7）[37]。③④を合計した「再エネ率」は20％です。

次に、30年度の目標。そこでは、電力部門に占める「再エネ」の比率を、36〜38%に増加させること、が目指されています。36〜38%の内訳は、「太陽光」14〜16%、「水力」11%、「風力」5%、「バイオマス（家畜排せつ物、稲ワラ、森林の残材などを燃焼させる等）」5%、「地

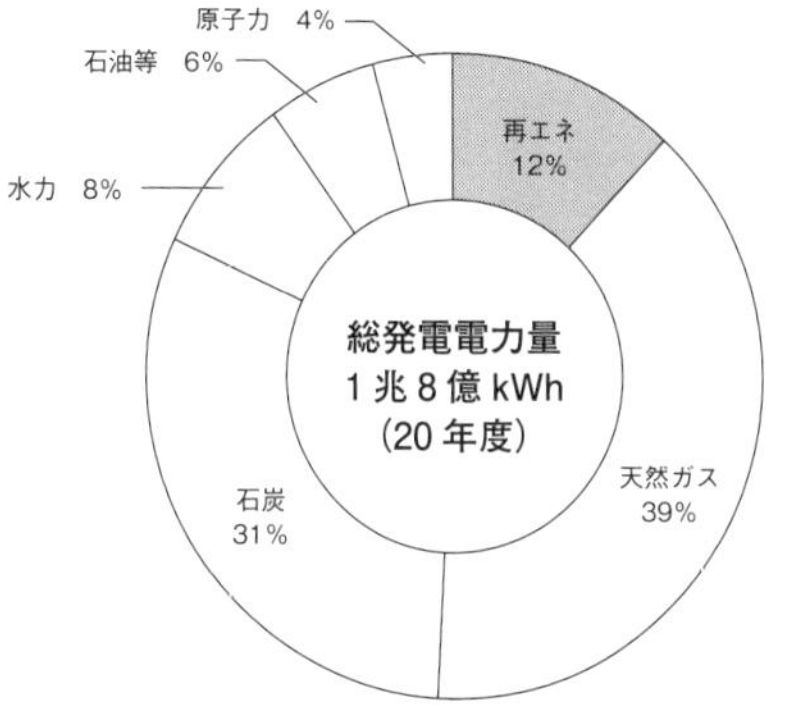

グラフ3-7　日本における発電電力量の「電源構成比」（20年度）　天然ガス火力と石炭火力の割合が大きいことがわかる。とくに石炭火力は、CO_2の排出量が多く、その廃止・再エネへの転換が求められている　（出典）電気事業連合会「発電設備と発電電力量」 資料／資源エネルギー庁「令和2年度（2020年度）におけるエネルギー需給実績（確報）」

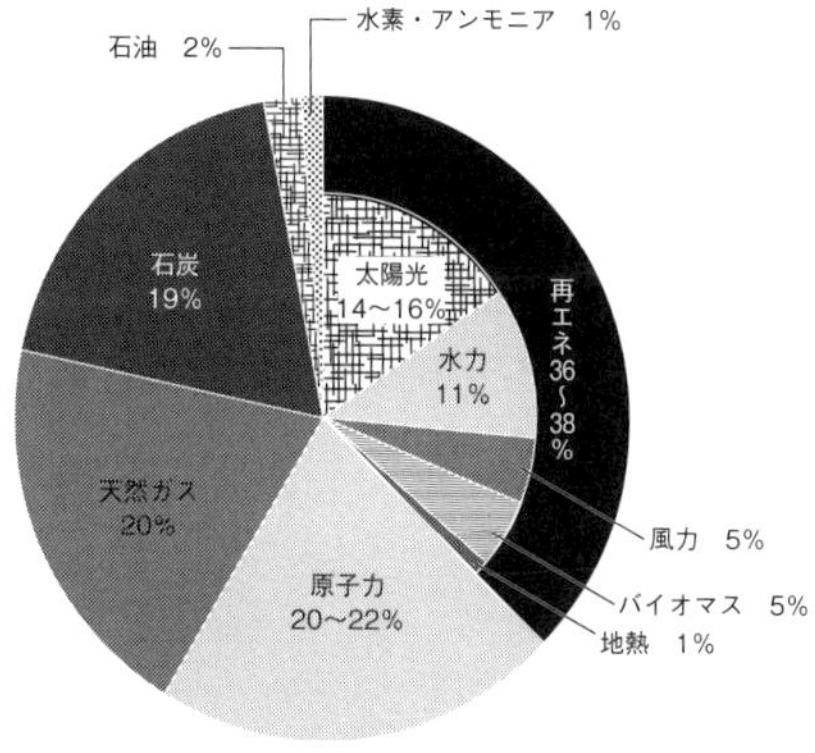

グラフ3-8　政府が掲げる、30年における電源構成　30年時点での目標が、石炭火力19%、天然ガス20%、再エネ36〜38%。50年のカーボンニュートラルは可能なのか？　（出典）資源エネルギー庁「2030年度におけるエネルギー需給の見通し」

熱」1％。一方、「石炭火力」19％、「天然ガス」20％、「原子力」20〜22％、という数字も示されています（グラフ3-8）。[38]

IEAが示した前述の目標では、30年までに、先進国が、温室効果ガスの排出削減対策が講じられていない「石炭火力発電」から撤退すること、が必要だと謳っています。日本の掲げる目標は、脱炭素化のテンポが、これとはかなり異なることがわかります。

他方、主要各国の、発電部門の「脱炭素化」は急速に進んでいます。

英オックスフォード大学などの運営する「アワ・ワールド・イン・データ」の資料によると、G7の「脱炭素電源」（ここには、原子力発電も含まれる）の割合は、10年の39％から、22年には47％に伸びています。[39] また、G7各国の「再エネ比率」（再エネ+水力。原子力は含まず）は、20年の数字で、米国が20％。しかし同国では、再エネの発電容量の比率（水力除く）が、11年から20年までの9年間に3倍以上に増え、再エネ率も急増しています。[40] 一方、原発に大きく依存するフランスの再エネ率は24％。しかし、その他の国では、カナダが68％。ドイツ44％、英国43％、イタリア42％、となっています（グラフ3-9）。[41]

中国やインドを含む「G20」でも、再エネ率が、10年33％→22年40％に増えています。[42]

政府も対策に乗り出した、が……

日本政府も、電源の脱炭素化に対して、金額上はかなりの規模で動き出しています。最大の施策は、23年5月に「GX推進法」（GX、はグリーン・トランスフォーメーション）が成立。33年までの10年間に、温室効果ガスの排出削減と、経済成長を進めるべく、政府と民間（企業など）、合わせて150兆円超の投資を行う方向性、を定めたことです。

そこでは政府が、20兆円規模の「GX経済移《い》行《こう》債」と呼ばれる債権を発行して、資金を調達。「非化石エネルギー」の推進などに投資。これと、規制改革を組み合わせ、民間から130兆円強の「投資」を引き出そう、として

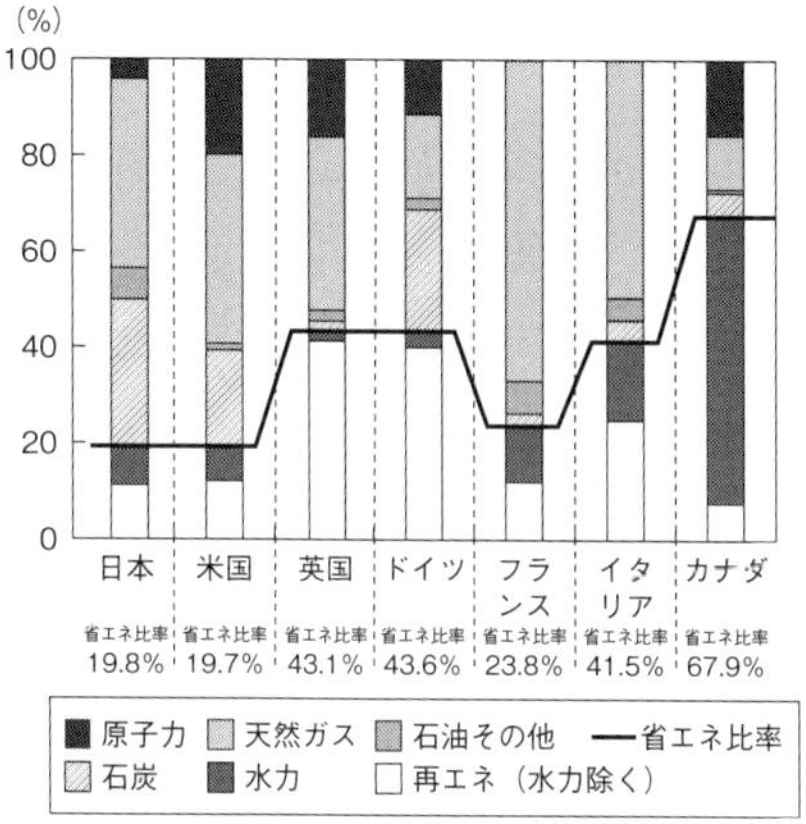

グラフ3-9　日本と欧米主要国の発電比率（20年）　この資料では「再エネ比率」（水力含む）が、日本・米国20%、フランス24%だが、英独伊は40%超。カナダは68%　（出典）資源エネルギー庁「日本のエネルギー2022年度版『エネルギーの今を知る10の質問』」

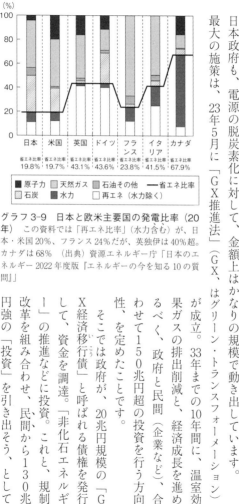

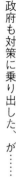

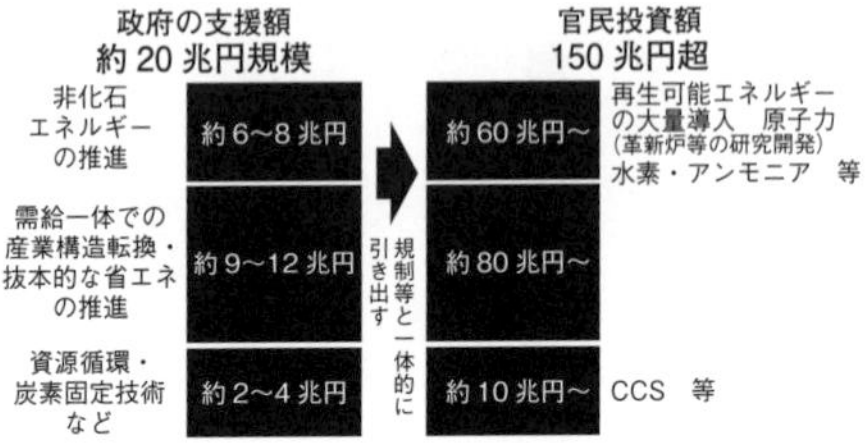

図3-3　総額20兆円。GX経済移行債の使い道　水素やアンモニア、炭素固定技術（CCS等）などへの投入が巨大な金額となっている。これを、既存の再エネ技術の普及に振り向けること、を環境NGO・NPOなどは訴えている　（出典）資源エネルギー庁「今後の再生可能エネルギー政策について」

います（図3－3）[43]。

また、経産省は20年度に、温室効果ガスの排出を減らす「脱炭素」技術の開発や普及を支援するため、2兆円の「グリーンイノベーション基金」を設けました[44]。同基金からは、「洋上風力発電」の低コスト化を進めるために、最大で1195億円が配分されることになっています。政府は40年までに、洋上風力発電で、最大、原発約45基分に匹敵する4500万kWの発電容量、を実現すべく計画しています[45]。

さらに同基金は、建物の壁面にも設置できる次世代型の太陽光発電、の開発に、最大498億円の資金を拠出することを決めています[46]。これは、「ペロブスカイト太陽電池」と呼ばれる軽量なフィルム型。電力への変換効率が高いだけでなく、折り曲げることもできます。建物の壁や屋根、クルマのルーフ（屋根）などに張りつけること、が可能です。

ただしこの技術、中国が、実用化で先行しています。発明した桐蔭《とういん》横浜大学の宮坂力《つとむ》特任教授が、特許の出願手続きに多くの費用・手間が掛かることなどから、海外で、技術の基本的な部分についての特許、を取得することを断念していたのです。[47] 国外で特許権を守るためには、権利者が、それぞれの国に対して個別に、必要書類を提出しなければなりません。これは大きな負担になります。社会・政府としては、こうした革新的な技術をいち早く見抜き、支援する体制を作ること、が急務だと言えるでしょう。第1章で紹介した、キャリアを始めとする行政職員の不人気は、ここにも暗い影を投げ掛けています。

異を唱える「環境団体」

政府が発行予定の、20兆円規模という巨額の「GX経済移行債」の使い道に対しては、環境NGO（非政府組織）、NPO（非営利組織）などから批判の声が上がっています。

批判の的となっている最大の問題は、GX経済移行債によって得た巨額の資金を、①水素やアンモニアの需要を拡大するための支援、再エネの新技術の研究開発など（約6兆～8兆円）、②新技術の研究開発・社会実装など（約2兆～4兆円）、に投入することです。[48]

①の水素は、バスやトラックなど、おもに大型商用車の燃料や、家庭での電気や熱源、として使用するもの。アンモニアは、石炭火力発電での「アンモニア混焼《こんしょう》」等に使われます。「アンモニア混焼」とは、石炭に、アンモニアを20％ほど加えて燃焼させることで、CO_2排出を削減できる、とされる手法です。

水素は、天然ガスに含まれる「メタン」、原油に含まれる「ナフサ」などを、高温の水蒸気と化学反応させて、製造します。その際、CO_2と一酸化炭素も発生します。

アンモニアは、「ハーバー・ボッシュ法」と呼ばれる手法を用い、400〜600℃の高温かつ高圧下で、水素と窒素を化合させて、作ります。そして日本は、アンモニアを、海外から大量に輸入しています。

水素やアンモニアは、製造する過程で大量のCO_2を排出するのです。

②の1つ、「炭素固定技術」。これは、火力発電所などから排出されるCO_2の分離・回収。植物や微生物などによる生物学的な吸収。地中や海中への隔離《かくり》、等があります。

国内では、北海道・苫小牧《とまこまい》港で、地中1000m以上の深さにある貯留層《ちょりゅう》に、約30万tの

CO_2が貯蔵されています。現在、貯《た》められたCO_2が漏れ出さないかなどの、モニタリングが行われているところです。[49]

この「GX環境移行債」に関して、環境団体、気候ネットワーク東京事務所（東京・千代田）の桃井貴子所長は、①20兆円はそもそも、民間の投資が集まりにくい「ハイリスク」な分野、に投じられる、とした上で、②石炭火力にアンモニアを20％混焼しても、CO_2の削減量は4％程度でしかない。③アンモニア製造過程では、大量のエネルギーを使い、多量のCO_2を排出する上、巨額の資金が必要になる。④アンモニアを輸入することで、その分だけ、国内でのCO_2排出量は抑えられるものの、海外でのCO_2排出を増やしてしまう。⑤アンモニア混焼を実施することで、本来は廃止すべき「石炭火力発電」が残ってしまう。⑥「炭素固定技術」の研究・開発に投入する資金の多くが、「CCUS」（CO_2回収・利用・貯留技術：Carbon dioxide Capture, Utilization and Storage）のような、採算の取れない技術、の研究に使われることになる、⑦「CCUS」のほとんどは、CO_2を貯留するだけの「CCS」（苫小牧のケースもここに含まれる）であり、そこからは何の経済的なメリットも生まない、と語っています。

そこから同氏は、⑧こうした資金を、水素やアンモニア、炭素固定技術のような、まだ未熟で環境負荷も大きい技術の研究・開発、につぎ込むのをやめること。⑨太陽光発電や風力発電など、技術がすでに成熟し、今後もエネルギー変換効率の向上が見込める上、コストも急低下している「既存の技術」「今ある技術」、の大規模な実装に注ぎ込むこと、こそが気候変動対策につながる、と述べています[50]。

ＷＷＦは、「できる」と言った

国際環境ＮＧＯ（非政府組織）の「ＷＷＦジャパン」（東京・港。ＷＷＦは、世界自然保護基金：World Wide Fund for Nature）も、「自然エネルギー」（再エネ）の導入拡大を訴えています。同組織は、20年12月、今後の気候変動・エネルギー対策に関する報告書を発表しています（21年9月に改訂）。

「脱炭素社会に向けた２０５０年ゼロシナリオ」と名づけられたその文書。ここでは、50年までに、①風力発電、②太陽光発電、③バイオマス（熱利用）、④太陽熱、⑤水力発電、⑥周囲熱、⑦地熱発電、⑧バイオマス電力、⑨車上太陽光発電など、の「自然エネルギー」

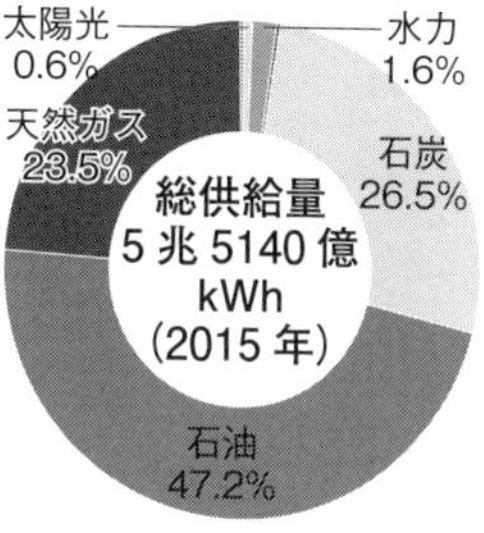

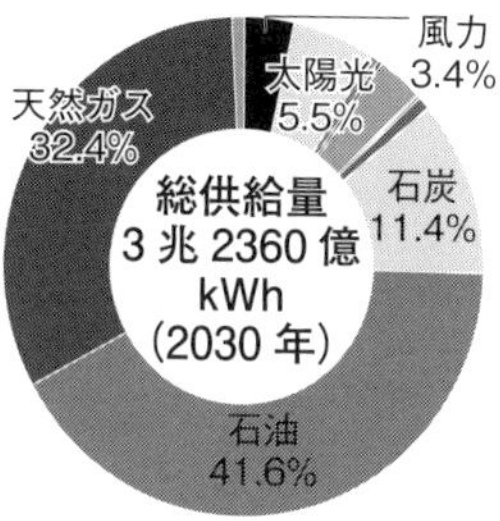

2015		
損失	発電・水素 転換ロス	-2兆 2200億kWh
最終 需要		3兆 2930億kWh
電力需要に占める自然 エネルギー割合（%）		15.3
発電量に占める 自然エネルギー割合（%）		15.3

2030		
損失	発電・水素 転換ロス	-6510億kWh
最終 需要		2兆 5850億kWh
電力需要に占める自然 エネルギー割合（%）		53.9
発電量に占める自然 エネルギー割合（%）		47.6

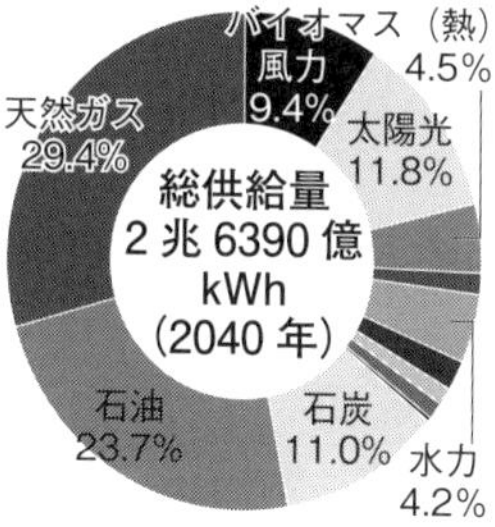

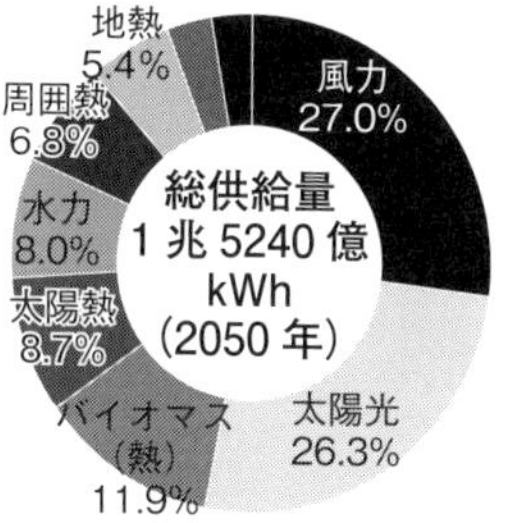

2040		
損失	発電・水素 転換ロス	-6670億kWh
最終 需要		1兆 9720億kWh
電力需要に占める自然 エネルギー割合（%）		108.2
発電量に占める自然 エネルギー割合（%）		73.3

2050		
損失	発電・水素 転換ロス	-1370億kWh
最終 需要		1兆 3870億kWh
電力需要に占める自然 エネルギー割合（%）		184.4
発電量に占める自然 エネルギー割合（%）		100

グラフ3-10　WWFジャパンが示した、50年までの脱炭素化への道　エネルギー需要のすべてを、自然エネルギー（再エネとほぼ同義）で賄うことが可能だとしている　（出典）WWFジャパン、システム技術研究所「脱炭素社会に向けた2050年ゼロシナリオ」

だけで、すべての「エネルギー需要」を賄《まかな》い得ること、を示すシミュレーション結果が提示されています（グラフ3－10）[51]。

③は、森林の間伐《かんばつ》材、家畜の排せつ物、食品廃棄物、紙廃棄物などの「バイオマス資源」を燃やして、そこから発生する蒸気の熱を利用したりすること。
④は、集熱《しゅうねつ》パネルなどを用いて、太陽光を熱に変換して、それを使うこと。
⑥は、ヒートポンプと呼ばれる機器を使い、大気や河川、地中、廃熱（機械などでエネルギーを使用する過程、で生まれる余分な熱）から得るエネルギー、のこと。
⑧は、バイオマス資源を、直接、燃料として燃やしたり、加熱して一酸化炭素や水素などを取り出し、それを使ったりして発電すること。
⑨は、クルマのルーフに、太陽光発電パネルを設置し、そこで発電を行うこと、を意味しています[52]。

そして同報告書は、発電量に占める自然エネルギーの割合を、15年の15%から、30年48%↓40年73%↓50年１００%、に増加させることが可能、だとしているのです[53]。

他の環境団体・研究組織も、再エネ率を早期に大幅に増加させること、は可能であり、それが気候変動の進展の抑止に不可欠である、と主張しています。

ただし、WWFジャパンの報告書では、シミュレーションの前提として、エネルギー需要の大幅な減少を挙げています。その理由は、①国内の人口減。②エネルギー効率の向上。③産業構造の変化。④これらによって、大量の物質を消費する経済から、持続可能な社会への転換が行われること、です。そして結果的に、エネルギーの「最終需要」が、15年の３兆２９３０億kWhから、30年２兆５８５０億kWh→40年１兆９７２０億kWh→50年１兆３８７０億kWh、に減っていくとしているのです。[54]

しかし、これは実現可能なのか。

ＷＷＦジャパンによれば、①報告書で使われた今後の人口は、社人研が算出した将来推計人口の「中位推計」の数字、を用いていること。②エネルギー需要の将来的な減少は、日本エネルギー経済研究所（ＩＥＥＪ：東京・中央）の発行した、世界の長期エネルギー需給の見通し、「ＩＥＥＪ アウトルック２０２０」の中の、エネルギーに関連する技術や各国・地域の動向などが、現在のまま変わらないとする「レファレンスシナリオ」(もう1つは、環境対策のエネルギー技術が最大限取り入れられるなどの「技術進展シナリオ」)をもとにしており、妥当であること。③現在、すでに多くの分野で「エネルギー効率の改善」が急速に進展しつつあること、などの理由から、④エネルギーの最終需要が減っていくことは、科学的に見ても十分にあり得る、と考えている。その上で、⑤自然エネルギーの急速な導入を、政府と社会が進めていくことが必要だ、と述べています。[55]

再エネの導入こそが「最適解」

実は、再エネのコストは、火力発電などに対して、すでに十分な競争力を持っています。自然エネルギー財団(東京・港)が、金融庁の21年3月の有識者会議、に提出した報告書によれば、自然エネルギーはすでに、米英独、カナダ、ブラジルなど、世界全体のGDPの4分の3弱を占める国々で、もっとも安い電源になっている、と言います。[56]

また、太陽光発電や風力発電などは、設備を作るための資源の採取―設備の製造―運用―廃棄・リサイクル、などといった全過程(LCA:Life Cycle Assessment)において、火力発電よりも、環境に与える影響(環境負荷)が少ないこと、も明らかになっています。[57]

これらを踏まえると、日本でも、①石炭火力発電でのアンモニア混焼や、新たな（そして成果が上がるか未知の）技術の開発などに、巨額の資金をつぎ込まないこと。②「既存」の太陽光発電や風力発電への大規模な投資と、その普及の実現。③発電効率の向上に向けた研究・開発、こそが不可欠であること、がわかります。

政府のエネルギー政策、3つの問題点

以上で紹介した、先進各国の状況や、再エネの大きな可能性、については日本政府も理解しているはずです。なのに、なぜ日本は、再エネの導入に後ろ向きなのか。

気候ネットの桃井氏はこれに関して、まず最初に、「太陽光」「風力」などの発電設備を設置する場所がない、とする意見に反論しています。

たとえば、環境省（再エネ導入に積極的）が22年4月に発表した資料によれば、国内では、再エネで賄うことが可能な電力量のポテンシャル（潜在量）が、2兆6200億kWh／年に上る。それは、20年度の再エネの、国内発電電力量の実績、1兆kWh強の2・6倍超に当たる、と言います。そして、このための施策として、①今後5年間での対策の集中実施、②100

か所以上の「脱炭素先行地域」の創出。③家などの建物の屋根に設置する太陽光発電、省エネ住宅等の導入を重点的に進めること、などが必要だ、としています。[58]

その上で、桃井氏は、再エネ導入に消極的な日本政府のエネルギー政策に対し、3つの問題点を指摘しています。①ゆがんだ「電力市場」、②「容量市場《しじょう》」制度の欠陥、③再エネに対する「出力抑制《よくせい》」、です。

①国内では、東京電力や関西電力、中部電力など、10の大手電力会社が、「発電」「送電」の多くを担っています。11年の「東日本大震災」前までは、この大手電力会社が、「小売り」でも、全体のほとんどを担ってきました。

しかし、東京電力・福島第一原発の事故をきっかけに、「電力システム改革」が実施され、15年以降、「電力小売り」が「全面自由化」されました。

ただし、発電・送配電・小売りが、法的に、形の上で分離されはしたものの、それらの資本関係の分離、までは定められていません。そのため、たとえば東京電力ホールディングスの傘下には、ＪＥＲＡ《ジェラ》（発電）や、東京電力パワーグリッド（送配電）、東京電力エナジーパートナー（小売り）などがあります。

大手電力会社が、実態として、電力システムにおいて支配的な立場にある、という現状は変わっていません。発電方式の転換などが起きにくい状況、のままなのです。

②「容量市場」は、「4年後」の電力の「供給力」（単位は、発電容量を表すkW）を確保するために、20年から導入された新たな市場のこと。

そこでは、多くの電力関連企業などが参加して作られた、「電力広域的運営《うんえい》推進機関」（OCCTO《オクト》）と呼ばれる組織、が中心的な役割を果たします。オクトは、参加企業である小売事業者から、「容量拠出《きょしゅつ》金」を集めます。オクトは、そのお金を元手として、「容量市場」という、新たに設けられた市場で、オークションを行い、より安価で安定的な電力提供を提示した発電事業者から、4年後の供給力を買うのです。

問題は、再エネ事業者のほとんどが、安定的な供給力の確保が難しいとして、容量市場のオークションに参加できないこと。現状、発電事業者の対象は、おもに火力、水力、そして原子力となっているのです。

これは、火力発電や原発などを、将来にわたって買い支えること、を意味しています。再エネの関連事業者にとっては、きわめて不利な制度、になっているのです。

③「再エネ」の導入拡大は、「G7広島サミット」のコミュニケ、などを見ればわかるように、今や国際誓約の対象です。しかし、国内では、再エネに対して、「出力抑制」が行われる事例が頻発《ひんぱつ》しています。

「出力抑制」とは、電力供給が、需要を大きく上回りそうな場合に、電力供給網を守るために実施されるもの。とりわけ、太陽光によって多量の発電が予想される時間帯において、「太陽光発電」に対して行われること、がしばしばあります。

本来、再エネの導入拡大を図《はか》るのなら、再エネの出力維持を第一として、他の発電を抑制していくべきでしょう。しかし、たとえば九州電力管内では、こうしたケースで、火力発電や原発（川内原発《せんだい》）の稼働を続け、再エネを抑制する、という事態が日常的に起きています。これでは、個人も含めた再エネの事業者は、収入をきちんと得られません。同事業者のモチベーションを下げ、再エネ拡大にブレーキを掛けているのです。

さらに日本では、再エネに対して、「太陽光や風力はあてにならない」「環境破壊につながる」などといった「負のイメージ」が、人々に意識づけされている側面がある。こうしたイメージが、再エネの導入をはばんでいる側面がある、とも桃井氏は指摘しています。[59]

企業を動かして、気候変動を抑え込む

近年、「環境団体」などが株式を買い、「株主提案」をすることで、金融機関やエネルギー関連企業に影響を及ぼそう、という動きも出てきています。

たとえば20年3月、気候ネットワークは、日本を代表する金融機関の1つ、みずほフィナンシャルグループに対し、気候変動対策を定めた「パリ協定」の目標に沿った投資を行うための経営戦略、を記した計画を示すよう、株主として提案しています。[60]

同社は、この提案の翌4月、①石炭火力発電所への新規建設に向けた投融資等をしないこと、を発表。②石炭火力発電所向けの「与信残高」（貸している資金の額）を、30年度までに、19年度比で50％に削減。③これを50年度までにゼロとする（21年5月には、ゼロにする時期を、40年度に前倒ししている）、としました。[61]

これに関して同社は、私の取材に、気候変動のリスクへの、対応強化の観点から決定した、と回答しています。[62] 一方、桃井氏は、同社の決定は、気候ネットワークの提案がもたらした結果だ、と明言しています。[63] これ以降、国内で同様のケースがいくつも出ています。

その他の課題

本章の最後として、「排出権取引」や原発、電気自動車（EV：Electric Vehicle）、DAC（直接空気回収：Direct Air Capture）について、少しだけ触れましょう。

「排出権取引」は、温室効果ガスの排出量を減らした企業が、その分を金額化して、他の企業に売ることのできる仕組み。東証（東京証券取引所）は、23年10月、同ガスの排出量を売買する「カーボン・クレジット市場《しじょう》」、を開設しました。[64] また、脱炭素に積極的な企業で作る、自主的な排出量取引市場「GXリーグ」、が23年4月から本格始動しています。[65]

ただし桃井氏は、排出権取引が、実際に機能するためには、政府が、対象企業に対し、非常に強い強制力をもって、「排出枠《わく》」（ここまでなら排出してもよい、という量）を設定する（CAP《キャップ》をかぶせる）必要がある。東証の取引市場やGXリーグで行われる排出権取引、にはそれがない、として、温室効果ガスの削減効果に、懐疑的な立場を取っています。[66]

原発に関しては、①事故を起こした際の被害、が甚大《じんだい》なものになること。②きわめて危険な高レベル放射性廃棄物を含む「放射性廃棄物」の長期保管施設、を設置する場所が決まらないこと。③発電の多くを原子力に依存するフランスを除き、米国も含めた先進各国では、「原発」に頼らない発電、が主要路線となりつつあること、[67]を押さえておきましょう。

米国などでは、事故を比較的少なくできるとされる「小型原子炉」（発電容量が、通常の原発の3分の1程度。概《おおむ》ね30万kW以下）の開発、も一部で進んでいます。しかし、この技術には、コストが高い。セキュリティ上の問題もある、等いくつもの課題が指摘されています。[68]

さらに桃井氏は、④原発は現状、トラブルがとても多い。⑤トラブルが起きると、「火力発電」を増やす、という歴史を繰り返してきた。⑥つまり、大規模集中型の原発を使い続ける限り、バックアップ用の、「石炭火力」を含む「火力発電」が残ってしまう、と言います。[69]

EVは、再エネ由来の電気を使うことを前提とすれば、普及を進めるべきであること。

DACは、大気中からCO_2などを、機器を使って回収する技術。①現在は、技術的にまだ未熟で、大量のエネルギーを必要とする。②ただし、再エネが十分に普及した時点では、再エネ由来の電気を使い、大気中のCO_2等を回収する作業、が必要になってくる。③今の段階では、社会にすぐ実装すべきでなく、環境負荷とコストの問題が解決してから導入を図るべきである。④それには、十年単位の時間が掛かるであろうこと、を記しておきましょう。

国際関係を変えてきた「理想主義」

日本の周囲には、「3つの危険国」が存在します。

それについて見ていく前に、国際関係の基本的な考え方の1つ、を紹介しましょう。

「理想主義」と「現実主義」、です。「理想主義」は、国際関係・国際情勢はこうあるべきだという理想を掲げ、そこに向けて行動を起こす立場を取ります。

古くはたとえば、「ハーグ陸戦条約」（ハーグ陸戦法規。1899年にオランダ・ハーグで開かれた国際会議で、参加国の代表による「署名」＝「調印」がなされ、1900年に「発効《はっこう》」＝効力が発生した）と呼ばれる、国際的な取り決めがあります。「捕虜《ほりょ》」が博愛の心をもって扱われること、などが定められています。同条約は、後に改定され、①毒ガスなど毒性のある兵器や、相手方に不必要な苦痛を与える兵器、の使用禁止。②特別な防御を施されていない（一般市民が住んでいる、などの意）都市や村落、住宅、建物を攻撃したりすることの禁止、などを謳《うた》っています。

また、「ジュネーブ4条約」（4つの条約から成る。1949年署名、50年発効）では、①戦争による傷病者《しょうびょう》、捕虜、文民《ぶんみん》（兵士ではない人）などの保護。②医療施設などへの攻撃の禁止、等が定められています。

戦争下においても、すべてが許される訳ではなく、禁止されるべき一定の行動がある、として、諸国は取り決めを行ったのです。

近年では、「対人地雷《たいじん》禁止条約」（97年署名、99年発効）、「クラスター爆弾禁止条約」（08年署名、10年発効）などの例があります。

「対人地雷」とは、火薬の量を、踏んだ人の命を奪わない程度にあえて抑制。足や腕、体の一部などを粉砕しまうことで、敵方の社会に、中長期的なダメージを与える兵器です。「クラスター爆弾」は、大型の弾帯《だんたい》の中に、小型の爆弾などが多数格納されたもので、投下されると、弾帯が空中で破裂。中の爆弾などが、広範囲にまき散らされる兵器です。

この2条約では、当該兵器が多数使用されている事態を憂慮した市民団体が立ち上がり、関係各国の外交当局者に対して、粘り強い働き掛けや、条約案の提示などを始めました。結果、最終的に、多くの国が条約参加（①政府代表による「署名」と、②署名を行った各国の議会がそれを認める「批准《ひじゅん》」）を決めたのです。理想主義的な側面の濃厚なケースです。

2つの条約は、国家が行動を始める前に市民団体が動き出し、賛同国の政府代表を巻き込んで成立したこと、が注目されました。[1] このように現在では、国際問題に対してさまざまな「アクター」（主体）が影響を及ぼしていること、も押さえておく必要があります。

「現実主義」が国際情勢を動かす

一方の「現実主義」。これは、国際情勢・国際関係の背景にある、関係各国・地域の人口、国土・地理、環境、政治体制、経済、資源、研究・開発力、国民や社会の価値観、文化、宗教、軍事力、対外的な影響力、歴史、同盟国・友好国、敵対的な国、国内の多数派民族と少数民族、反政府勢力、支配層や為政者の立場・特徴・性格、など多様な要素を、現実的に精緻《せいち》に観察・分析し、自国がどう行動すればよいのか判断すること、こそが正しいという考え方です。

多くの場合、「国家」が最重要な価値を持ち、「国益」を最大化することが求められます。詳述《しょうじゅつ》は控えますが、そこでは、自国の選択が、相手国にどのような影響を与え、どのような反応を生じさせるのかを予測する、「ゲーム理論」が用いられることが多々あります。現在は、その一環で、ＡＩなどを駆使した「シミュレーション」が度々実施されています。

国際情勢・国際関係には、これら理想主義、現実主義、双方の影響が及びます。とは言え、現在までの歴史を振り返れば、現実主義の方が、より大きな影響力を及ぼしてきました。たとえば、「対人地雷禁止条約」や「クラスター爆弾禁止条約」は、当該兵器の使用を抑制するために、一定の役割を果たしてきました。しかし、軍事大国である米中ロの３か国は、どちらの条約にも参加していません。

長い目で見れば、「理想主義」の掲げる目標は、国際社会の歩むべき道となり得ます。しかし短期・中期的な時間軸では、国際関係は、主として「現実主義」で動いているのです。

ただし、ＥＵ（欧州連合：European Union）という例外もあります。

国連（国際連合。１９４５年設立。ＵＮ：United Nations＝直訳すれば連合国）、ＷＴＯ（世界貿易機関。１９９５年設立：World Trade Organization）などの国際機関も、大国の意向に左右されつつ、理想主義を追求している、という側面があります。

ちなみに、国連の「安保理」（安全保障理事会）で、常任理事国が持つ「拒否権」は、国際連盟（1920〜46年）の失敗を教訓にして、ソ連／ロシアなどが離脱しないよう、設けられた制度です。現在、批判もされていますが。

国連に関して知りたい人には、次の基本書がお薦《すす》め。

ポール・ケネディ『人類の議会』〈上・下〉（日本経済新聞出版社、2007年）

「外交」で問題を解決すればよいのでは？

日本ではよく、「問題が生じても、争いではなく、外交で解決するべきだ」という意見が、報道されます。もちろん、その通りでしょう。

ただしそこでは、外交の意味をきちんと認識しておく必要があります。

「外交」はおもに、①説得、②圧力、の2つから成ります。

①は、相手国に、自国の提案を受け入れた場合のメリット、受け入れなかった際のデメリット、を説くなど、文字通りの説得です。

多くの人は、ひょっとすると外交を、①だけに限定して認識しているかもしれません。

ちなみに外務省が、両国の外交当局者による会談が「率直かつ建設的に行われた」、などと発表することがあります。これは外交用語で、激しいやり取りが行われたこと、を意味することが一般的です。和《なご》やかに話が進んだ訳ではありません。

一方、実際の外交では、②がきわめて重要な役割を果たします。たとえば、相手国に対して、原材料・製品などの輸出入を制限するなどの「経済制裁」。これも圧力の1つです。また、「日米安全保障条約」（日米安保）をもとにした日米の安保体制や、「NATO」（北大西洋条約機構）など。これも、仮想敵国（自国・地域を攻撃してくる可能性がある国）に対する圧力となっています。もし、日本やNATO加盟国に、軍事侵攻を行えば、日本に対しては米国が、NATO加盟国に対しては米軍を中核とするNATO加盟国の軍が、反撃をすると規定。これによって、敵対的な国が攻撃を諦《あきら》める、「抑止力」としているのです。

ドイツ統一の立役者の一人、プロイセンの著名な軍人・軍事研究者カール・フォン・クラウゼヴィッツ（1780〜1831年）は、広く知られる著書『戦争論』の中で、「戦争は政治におけるとは異なる手段をもってする政治の継続にほかならない」[2]と述べています。外交が、自国の主張を相手国に受け入れさせるための手段である、とするならば、戦争は、外交の究極の形態なのだ、と彼は説いたのです。

しかしこれは、あまりに直截《ちょくせつ》的過ぎる表現。また、国連の憲法と言える「国連憲章」（第2条第4項）のように、先制攻撃の禁止を謳《うた》った条約があり、国連加盟国にはこれを守る義務があります（実際には、「ウクライナ戦争」のように、破られることもある）。ちなみに、同項の条文は、次の通りです。

「すべての加盟国は、その国際関係において、武力による威嚇《いかく》または武力の行使を、いかなる国の領土保全または政治的独立に対するものも、また、国際連合の目的と両立しない他のいかなる方法によるものも、慎まなければならない」[3]。

そのため現在は、クラウゼヴィッツの前述の言葉を、公に使う政治家・外交関係者はまず、いません。とは言え、外交と戦争が、相反《あいはん》するものとも言えないこと、は押さえておきましょう。もちろん、戦争が起きないための外交・安全保障上の努力は、何より大切ですが。

ロシアという「危険国」

ではここから、日本を取り巻く「3つの危険国」の脅威を見ていきましょう。

ロシア、北朝鮮、中国です。東アジアにおける関係各国・地域の兵力から（図4－1）。[4]

まず、ロシアについて。22年2月24日。同国は、隣国ウクライナに侵攻しました。

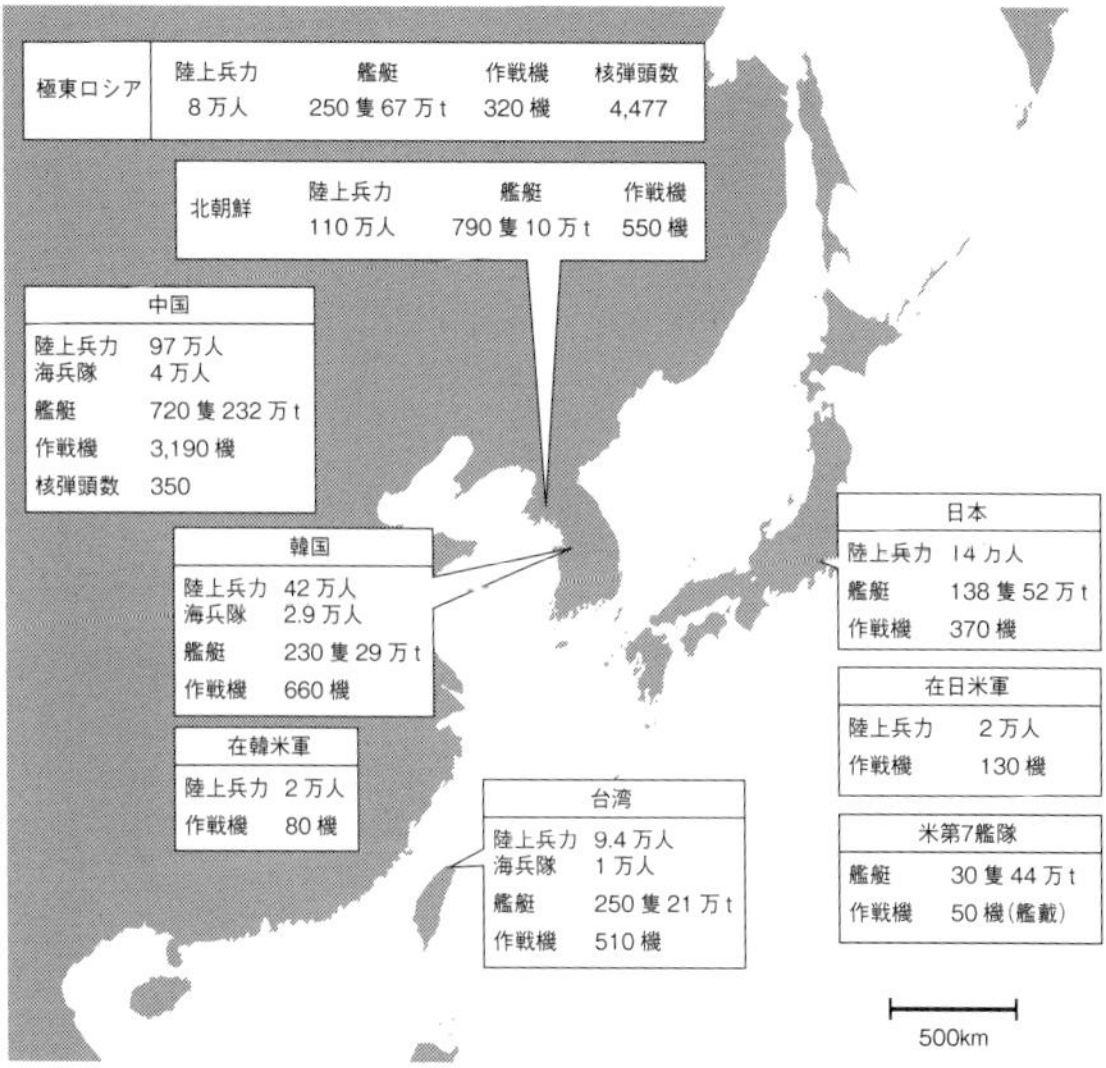

図4-1 東アジアにおける関係各国・地域の兵力 中国・北朝鮮の兵力は、かなりの規模となっている。これが、東アジアにおける安全保障環境を、危険な状況に陥れている （出典）防衛省『令和5年版 防衛白書──日本の防衛』

それに対し、ウクライナ軍は激しく抵抗。数日間、あるいは数週間で首都キーウを陥落させられるとした、プーチン大統領（ウクライナの子どもたちの強制的な連れ去り、という国際法違反により、国際刑事裁判所［ＩＣＣ：International Criminal Court］が逮捕状を発出[5]。以後、敬称略）の予測とは異なり、長期にわたる戦いが続いています。

ご存じの人も多いと思いますが、ロシアがウクライナを攻撃して領土を奪うのは、これが初めてではありません。

14年2~4月、ウクライナ南部のクリミア半島と、南東部ドンバス（ドネツク州とルハンシク州の通称）に侵攻し、クリミア半島と、ドンバスの半分ほどを支配下に置きました。このときに用いられ、世界から注目されたのが、「ハイブリッド戦」。

ロシアは、通常の軍事力だけではなく、多様な手段を組み合わせ、短期間のうちに両地域を奪取してしまったのです。まず同国は、侵攻の何年も前から、多数の政治工作要員を、両地域に送り込みました。そして、ロシアへの接近を訴える人物を選挙で勝たせたり、インターネットなどを通じてロシアへの親近感を高めたり、といった工作を続けたのです。

その上で、標識をつけない身元不明の兵員（通常の兵士は、捕虜になった際、敵方に、自分が正規兵であることを知らせることで、前述の「ジュネーブ条約」に沿った対応を受けられるよう、制服を着用し、標識をつけている）を一気に送り込みました。これは後に、ロシアの特殊部隊や、民間軍事会社の兵士などだったこと、が明らかになっています。

さらに、その兵員たちが、官庁等の重要拠点を瞬時に占領すると、大規模な正規軍を国境付近に集めて圧力を掛け、ロシアに有利なフェイクニュースを大量に流して、人々を混乱させた上で、住民投票を実施。一方的に、独立を宣言させたのです。これによって、クリミアと、ドンバスの約半分が、2か月ほどの短期間で、ロシアの影響下に入ることになりました。[6]
これがハイブリッド戦です。ハイブリッド戦は、ロシアだけが用いる戦争形態ではありません。また、ロシアはこれまでも、シリアなどでの戦いにおいて、ハイブリッド戦を実行してきました。しかし、欧州でこれが仕掛けられたことに、国際社会は驚いたのです。

「北方領土」は返ってくるのか？

ロシアは、ウクライナへの侵攻に全力を注いでいます。

その帰趨《きすう》は、プーチン政権の存続、そしてプーチン自身の生存、にも関わっています。

このため同国が、首都モスクワから遠く離れた極東に位置する日本、に及ぼす安全保障上の脅威は、23年10月末の時点では限られています。しかし、難題はあります。

たとえば北方領土の問題です。旧ソ連は、太平洋戦争の最末期、１９４５年8月8日に、日ソ間で結んでいた「日ソ中立条約」を突然、破棄。日本軍に攻撃を仕掛けてきました。日本軍は、圧倒的な兵力を持つソ連軍になすすべもなく敗退。ソ連軍は、8月15日に日本がポツダム宣言の受諾を公表した後も攻撃を続け、8月28日以降、北方4島（国後《くなしり》島、択捉《えとろふ》島、色丹《しこたん》島、歯舞《はぼまい》群島）に上陸。占領してしまったのです。北方4島は今も、ソ連の大部分を引き継いだロシアの実効支配下にあります。
日本政府は、北方領土を「我が国固有の領土」だとして、ソ連・ロシアと長年にわたって、実務者級（官僚）、閣僚級（外務大臣）、首脳級（日本の首相とソ連・ロシアの最高指導者）での交渉を続けてきました。

しかし、近年のロシア軍の動きを見ると、北方領土を返す兆候は見られません。たとえば同国は、16年以降、国後島と択捉島に「地対艦ミサイル」を配備しています。[7]これは、敵の軍艦などを狙う地上発射型のミサイル。また20年12月には、ロシア・メディアが、両島に「地対空ミサイル」が配備されたことを、報じています。[8]これは、軍用機などを撃ち落とすミサイルです。両島には最新鋭の戦車や無人偵察機を含む地上部隊が、択捉島の飛行場には戦闘機が3機ほど、駐留していることも伝えられています。[9]北方領土以北の千島列島にも近年、ミサイルが配備されています。[10]

さらに、同国は20年7月、「領土の割譲《かつじょう》」を禁止する条項の入った基本法（憲法）改正案を、国民投票で決めました。これに関して、プーチンは21年2月、ロシアのメディア企業の

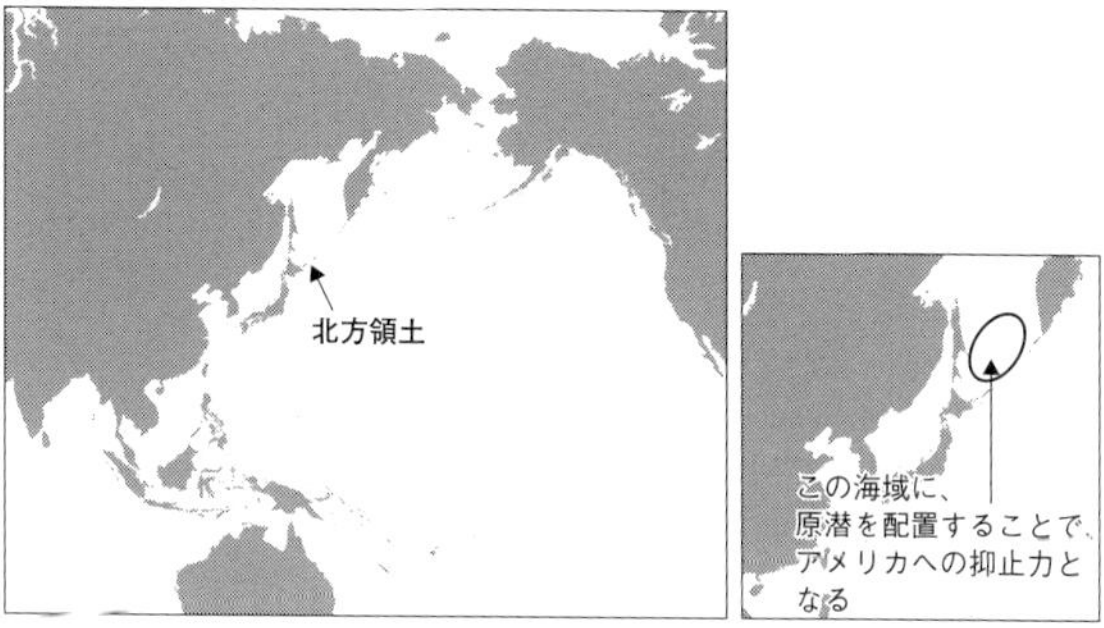
北方領土
この海域に、
原潜を配置することで、
アメリカへの抑止力と
なる

図 4-2　北方領土の位置
ロシアから見れば、北方領土を実効支配することで、米国から攻撃を受ければ、この周辺海域に潜む潜水艦が、核ミサイルを発射して反撃するとして、米国に対する抑止力を保持していること、を示せる

幹部との会見で、「日本との関係を発展したいし、発展していくが、基本法に反することは一切しない」と語ったこと、が明らかになりました。[11] これは、北方領土は返さないことを意味する、と受け取られています。

また、同国は22年3月、北方領土と千島列島に進出する国内外の企業に対して、所得税などの20年間の免除、の実施を決めています。[12] 事実上の「経済特区」を作る動きです。

これに関連して、陸上自衛隊のトップである陸上幕僚長を務めた岩田清文氏は、対談書の中で、「ロシアはオホーツク海の聖域化を狙って」いる、と語っています。

同氏によれば、ロシアはこの海域に、米国の首都ワシントンD.C.を射程圏内に収める、核兵器の搭載可能な「新型弾道ミサイル」を発射できる原子力潜水艦（原潜）を、21年初の時点で2隻、将来的に4隻に拡充して配備。米国から攻撃があった際には、報復として弾道ミサイルを使うこと、を考えている。そして近年、原潜を守るため、千島列島に1個師団（注：1万人前後）の兵力と地対艦ミサイルを配置。これによって、米軍の艦艇がオホーツク海に入れないようにしている。だから、「この千島列島防衛ラインにある北方領土を返すなんてことは、軍事的にはありえない」と言うのです（図4－2）[13]。

そうであれば、ロシアが北方領土を返す可能性は、残念ながら、きわめて低いものに留《とど》まるかもしれません。

北朝鮮の拉致問題

北朝鮮。日本と同国は、「拉致《らち》」という深刻な問題を抱えています。

北朝鮮が、この問題を初めて公式に認めたのは02年。平壌《ピョンヤン》で行われた日朝首脳会議で、当時の最高指導者、金正日氏がこれを認め、謝罪したのです。

日本政府は、帰国した5人を含む17名を、北朝鮮当局による拉致被害者だと認定しています。さらに政府は、拉致の可能性のある日本人が合計873人もいる、と言います。他に、日本人以外（朝鮮籍）の人が拉致された容疑事案、も示されています。[14]

しかし、02年の首脳会議以降、拉致被害者やその可能性のある人々の帰国につながる動きは見られず、今日に至っています。

北朝鮮は、軍事力の点でも大きな脅威となっています。同国は、「先軍政治《せんぐん》」と呼ばれる政治思想を掲げ、小規模な経済を、軍事力の維持・拡大に充《あ》てているのです。そこではとりわけ、特殊部隊やミサイル、核兵器などに重点を置き、資金が投下されています。

「特殊部隊」は、選抜された、能力の高い兵士から成ります。同部隊は、比較的少人数で、ダムや原発など重要インフラの破壊工作や、敵国の行政機関や報道機関などの制圧、政治家など特定ターゲットの拘束《こうそく》や殺害、等を行う訓練を積んでいます。防衛省が発行した『令和3年版　防衛白書——日本の防衛』では、北朝鮮が、世界最大、約10万人の特殊部隊を有することを紹介し、危機感を示しています。[15]とくに朝鮮半島有事の際、日本や在日米軍などの動揺を誘うため、同部隊が日本への侵入を試みること、はあり得るでしょう。

ただし最新の、令和5年版の同白書では、北朝鮮の特殊部隊についての記述は、短くなっています。[16] この問題への備えは、今も重要なのですが。

頻発する弾道ミサイル発射実験

北朝鮮は近年、各種「ミサイル」の開発を急速に進めています。

実際の発射実験も、22年だけで31回59発の「弾道ミサイル」を打ち上げています。[17]

弾道ミサイルとは、おもにロケットエンジンを使って打ち上げられ、数百～1000km以上という高高度（ちなみに、「宇宙」の一般的な定義は、地上100kmより上の領域）に到達した後、放物線を描いて落下してくるものです。[18]

「速度」は、射程が1000km級のものでは、マッハ9（時速1万1000km強。秒速約3km）前後。[19] これは、通常の拳銃の弾丸速度の10倍弱。[20] 航空自衛隊の主力戦闘機F－15の最高速度の約4倍に相当します。[21]「射程」は、短距離ミサイルで数十km。長距離ミサイルでは1万km以上に及びます。[22] 東京と朝鮮半島の距離が900kmほど。東京とハワイの間が6400km程度です。今や日本全土が、北朝鮮の長距離ミサイルの射程圏内に入っています。

北朝鮮は、長距離ミサイルの発射実験を繰り返しています。22年に実施された31回59発の弾道ミサイル発射実験のうち、米国にも届く可能性があるＩＣＢＭ（大陸間弾道ミサイル）だと確認されたものは5回5発ありました[23]。

一方、日本や米国は、「監視衛星」（情報収集衛星）を使って、宇宙空間から、北朝鮮の地上の状況を詳細に見ています。これに対して、同国は、衛星によってミサイルの発射準備を察知されないよう、「SLBM」（潜水艦発射型の弾道ミサイル）も開発しています。その発射実験は、19年、21年、22年に、1回1発ずつ行われました[24]。

弾道ミサイルは、あまりに速いため、発射後に撃ち落とすことは、ほぼ困難です。現状でそれが可能なのは、「PAC3《パック》」（パトリオット・ミサイル）などに限られています。

北朝鮮は、「巡航《じゅんこう》ミサイル」と呼ばれるミサイルも開発しています。これは、低い高度を飛ぶため、レーダーで捉えにくい、という特徴があります。すでに実戦配備されている、という報道もされています。

さらに近年、撃ち落とすことがより困難な、「極《ごく》超音速巡航ミサイル」と呼ばれるタイプも開発が進められています[25]。弾道ミサイルよりは遅いものの、通常の巡航ミサイルより速いマッハ5（時速6200㎞弱）で、低高度を飛ぶことが可能です。

また、「SRBM」（短距離弾道ミサイル）という、飛行中にその軌道を変えることができるミサイル、の発射実験も進んでいます。

「核兵器」をすでに約30発保有

北朝鮮のミサイルの脅威は、それに搭載される「核兵器」の開発、と並行しているところにあります。23年９月末時点で、同国は過去６回の核実験を行っています。[26] 最後の17年９月の実験では、原爆（原子爆弾）ではなく、水爆（水素爆弾）が使われた可能性がある。その爆弾は、広島型原爆の10倍以上の破壊力（出力）があった、と指摘されています。[27]

スウェーデンのストックホルム国際平和研究所（ＳＩＰＲＩ《シプリ》）によれば、北朝鮮は23年１月時点で、「核爆弾」を約30発。「核分裂性物質」を、核弾頭にして50～70発分ほど、保有していると言います。[28]

北朝鮮は、核兵器やミサイルの開発などに充てる資金のかなりの部分を、サイバー攻撃によって得ている、という報道があります。同国は、約６８００人規模のサイバー部隊を抱えている、とされています。その多くが、資金獲得のために暗号資産（仮想通貨）を奪取すべく、日々活動を続けている、と言うのです。[29]

中国のGDPは、日本の4倍以上

日本にとって、最大の外交・安全保障上の課題である中国。

1976年に最高主導者となった鄧《とう》小平は、「改革開放」路線を主導しました。

そこでは、①資金力のある外国資本の呼び込み、②製造業の後押し、③輸出品の製造の奨励、④同国の賃金の安さ、などが経済成長を推進しました。

結果的に中国では、1980年代以降、長年にわたって年率10％、あるいはそれ以上という、驚異的な経済成長が続いたのです。2010年には、GDPが日本を抜き、世界2位に躍《おど》り出ました。日中のGDPは、IMF（国際通貨基金）によると、22年の数字で、日本が4兆2335億ドル[30]に対して、中国は18兆1000億ドル[31]。為替などの要素もあるので、単純比較はできませんが、中国はすでに、日本の4・3倍ほどの経済規模を持つまでになっています。また、世界1位の米国のGDPは、22年時点で25兆4645億ドル[32]。中国はそこに猛追しているのです。

東アジアの海を「わがもの」とする

中国は、経済の急成長にともない、外交的・軍事的影響力も拡大させています。そのため

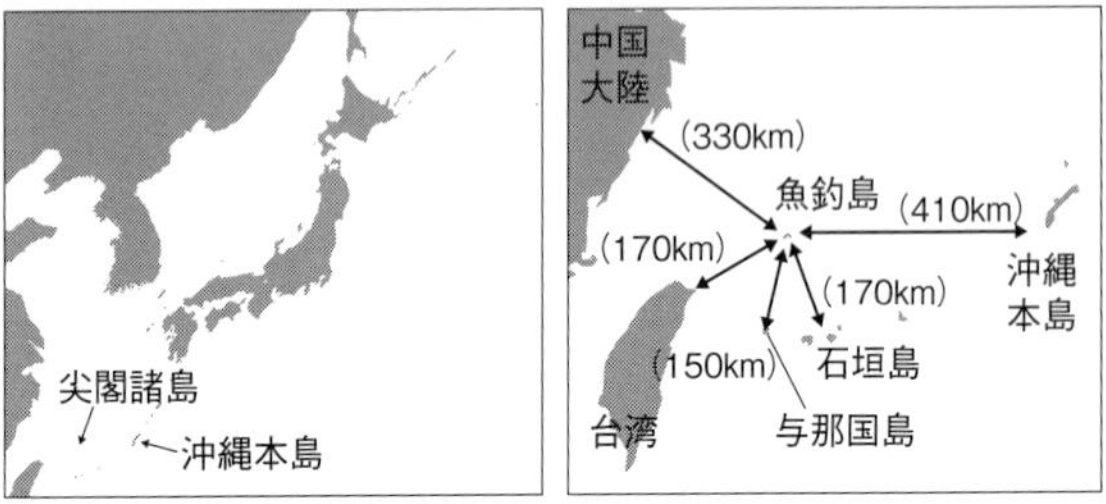

図 4-3　尖閣諸島の位置（魚釣島《うおつり》は、尖閣諸島最大の島）
中国は近年、この周辺海域への侵入を、毎日のように繰り返している。日本の海上保安庁の巡視船は、中国の公船に対して、島寄りの側に位置し、侵入を阻止する。両者の距離は、わずか100メートルほど。中国公船は、蛇行したり、反転したりして、巡視船を振り切ろうとする。巡視船は追い続ける。これが、昼夜、何日も続く

同国は、日本の安全保障上、きわめて大きな難題を突きつけているのです。

代表例が、尖閣《せんかく》諸島（沖縄県石垣市。図４－３）の周辺海域への侵入。

政府は、８つの島などから成る尖閣諸島を、「日本固有の領土であることは、歴史的にも国際法上も明らかであり」「現に我が国はこれを有効に支配している」「尖閣諸島をめぐり、解決すべき領有権の問題は存在しない」としてきました。[33]

しかし１９６９年、国連の委員会が、東シナ海の海底に石油が埋蔵されている可能性を指摘すると、71年に中国（と台湾）が突然、尖閣諸島の領有権を主張し始めたのです。そして中国は、２００８年12月以降、日本が自国の領海とする海域に、政府の「公船《こうせん》」を侵入させるようになります。[34] その動きは、

年を追うごとに激しくなっているのです。

海上保安庁によれば、23年10月の1か月間を見てみても、「接続水域」（基準となる、領海の基線《きせん》、から24海里《かいり》＝約44kmまでの海域）への中国公船の侵入が、すべての日（のべ108隻）に行われた、と言います。また、より内側の、「領海」（同12海里＝約22kmまでの海域）への侵犯も3日間（8隻）ありました[35]。この状況は近年、どの月でもほぼ変わりません。


そうした動きと並行し、90年代以降、中国は、「第一列島線」「第二列島線」「九段《きゅうだん》線」の内側を中国の実効支配下に収める、とする戦略を強調するようになりました（図4－4）。

「第一列島線」は、九州を起点にして、沖縄、台湾、フィリピン、ボルネオ島などに至る線。「第二列島線」は、伊豆《いず》諸島から小《お》笠原《がさわら》諸島、グアム、サイパン、パプアニューギニアなどに至る線、を指します。中国は、第一列島線内の「制海権」を2010年くらいまでに、第二列島線内のそれを20年くらいまでに、獲得する計画を持っていました。

ただしこの計画は、米国が、多数の軍用機を載せることができる空母（航空母艦）を含む軍艦を、この地域に繰り返し派遣するなどしてきたことで、実現していません。しかし、中国も対抗して、3隻目となる空母を進水させ、24年以降の就役を目指すなど、海軍力の強化を続けています。[36]

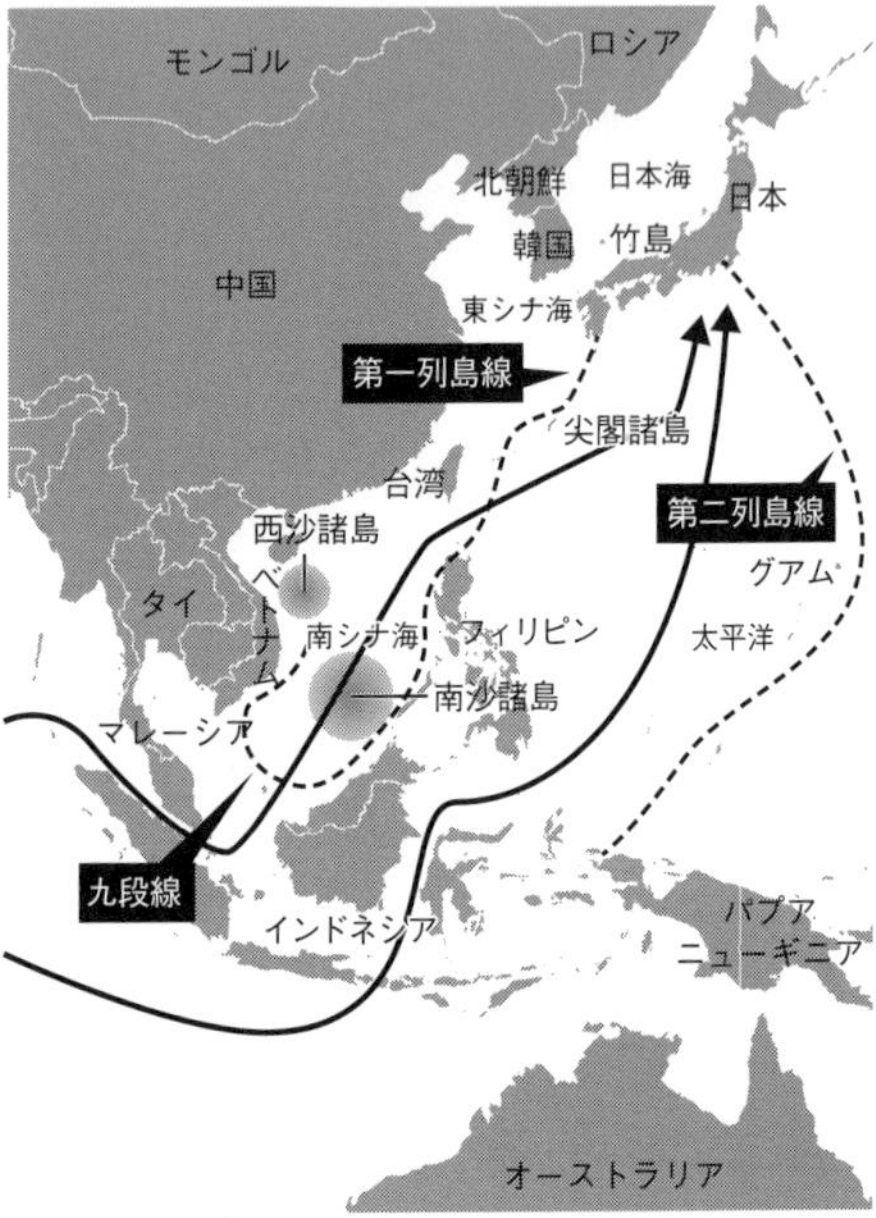

図 4-4　中国が示している第一・第二列島線、九段線と、日本のシーレーン（2 本の矢印） 九段線は、中国が南シナ海で一方的に引いた線。同国はこの 3 本の線の内側を自国の勢力下に置く、と表明。もし仮に、それが実現すれば、日本は中国の強い影響下に入ることになる

危機にさらされる台湾、尖閣

中国に関して、近い将来、紛争が起きるのではないかと、国際社会がもっとも懸念を強めているのが「台湾海峡」、すなわち「台湾」、をめぐる紛争の勃発《ぼっぱつ》です。

中国（中華人民共和国）も台湾も従来、自分たちこそが「中国」である、という立場を取ってきました。しかし、台湾では近年、中国本土との経済的・軍事的な差が大きくなり、本

土を取り戻すことは不可能になったこと。共産党が政治・社会の隅々まで支配している中国本土との一体化は、受け入れられないこと、などの理由から、台湾独立を主張する声が大きくなってきています。これは、中国にはとうてい認められないことです。

このため、同国の最高指導者、習近平氏は、軍事力を使って台湾を占拠する可能性、を何度も公言しています。たとえば彼は、22年10月に行われた中国共産党の党大会で、「台湾問題は、中国人自身のことであり、中国人が自分で決めなくてはいけない」「決して武力行使の放棄を約束しない」「必要なあらゆる措置をとる」と述べています。[37]

習氏は、激しい権力闘争を通して、ライバルとなりそうな人々を排除してきました。そして22年10月には、中国共産党全国代表大会、同中央委員会第一回全体会議（一中全会《いっちゅうぜんかい》）を経て、これまでの慣例を破り、3期目の最高指導者（中国共産党中央委員会総書記。党の序列1位）に就任したのです。3期目の任期は27年に切れますが、海外メディアや中国研究者などは、同氏は、4期目以降も最高指導者として残るつもりだ、と見ています。

そこで重要になるのが、大きな実績です。もし、台湾統一を成し遂げられれば、習氏の権威は高まり、終身の最高指導者としての地位を確立できる可能性が高くなります。このため中国の、数年以内の台湾進攻を懸念する声が、米インド太平洋軍の前司令官フィリップ・デービッドソン氏を始めとする、軍事・国際政治の専門家から、度々出されています。[38]

台湾は、民主主義が根付き、経済面でも、半導体受託生産の世界最大手、TSMC（台湾積体《せきたい》電路製造）に代表される先端産業が発展を遂げるなど、国際的にも重要な位置付けがなされている地域です。

さらに台湾周辺には、日本が海外から、物資や、原油・天然ガス等のエネルギー資源、食料などを輸入するときのルート、「シーレーン」（海上輸送交通路）があります（図4－4）。すべての貿易量の99％以上を「海上輸送」に頼る日本[39]は、もし台湾有事が起き、シーレーンでの海上輸送を妨害されることになれば、国全体が大打撃を受けることになります。台湾が中国軍によって占領され、その統治下に置かれれば、どうなるか。日本は、貿易・経済面、そして政治面でも、中国の一定以上の影響下、に入らざるを得なくなる可能性が出てくるのです。

また中国が、台湾を武力で併合しようとする場合、米軍の介入を防ぐため、沖縄県に多く集まる在日米軍基地などにミサイル攻撃を行ったり、日本政府を混乱させるべく、尖閣諸島に兵員（あるいは漁民を装った偽装《ぎそう》漁民）を上陸させたりする可能性が、否定できません。

急増する中国の核・ミサイル

中国軍の強みの1つは、近年、大量に製造・配備を進める各種の「ミサイル」。少し前の数字ですが、16年10月時点で、①ICBM約200発、②中距離弾道ミサイル約300発、③短距離弾道ミサイル約1150発、④巡航ミサイル約3000発を保有している、と言います。②は、米軍の基地がある米領グアムを攻撃することも可能だ、と見られています。[40]

近年は、「極《ご》超音速巡航ミサイル」が実戦配備されつつある、という報道もされています。[41]

さらに同国は、「核戦力」の増強、も急ピッチで進めています。中国が保有する核弾頭の数は、SIPRIによれば、23年1月の段階で、410発程度。[42] 米国防総省は21年11月、この数が、30年までに1000発に、35年には1500発になる、という予測を発表しています。[43]

ちなみに、核弾頭をもっとも保有している国はロシアで、5889発。2位が米国で5244発。両国で、世界全体の9割近く。[44] その中で、中国の核戦力が急拡大しているのです。

従来、核保有国は、「戦略核兵器《せんりゃく》」と呼ばれる、破壊力のきわめて大きな核兵器の開発を進めてきました。これは、1回の爆発で都市や地域を丸ごと消し去ってしまうような原爆や水爆を指します。一方で近年は、「戦術核兵器《せんじゅつ》」という、より小型の核兵器の開発・配備も進められています。これは敵の、陸上部隊や、空母を含む艦隊、などを消滅させる核爆弾、を意味しています。台湾危機においては、中国の戦術核兵器が、空母を中心とする米海軍の機動部隊に壊滅的なダメージを与える危険性、が指摘されています。ただしこれが起きた場合、米中が、全面戦争＝世界大戦、に陥る確率がきわめて高くなります。

日本へもサイバー攻撃を？

米軍や同国の研究機関などは、中国軍が台湾に上陸。それに対して、台湾軍と米軍が反撃し、自衛隊も中国から攻撃を受けて参戦した場合、どうなるかといった「シミュレーション」（机上演習《きじょう》）を、何度も実施しています。

米・戦略国際《こくさい》問題研究所が23年1月に発表したシミュレーションの結果は、24のシナリオのほとんどで、中国が台湾の占領に失敗した、と言います。しかしそこでは、自衛隊、米軍ともに多くの艦船や航空機を失うこと、もわかってきたのです。「基礎シナリオ」と呼ばれるシミュレーションでは、自衛隊が１１２機の航空機、26隻の護衛艦。米軍は、原子力空母2隻を含む17隻の艦艇、航空機２７０機、の損害が出る結果になった、と発表されています。[45]

同様のシミュレーションは、日本の政治・防衛関係者も行っています。そこからは、①台湾、中国、米軍、自衛隊ともに多くの損害が出ること。②沖縄などにある在日米軍基地が、中国によるミサイル攻撃を受けること。③台湾に近い与那国島、尖閣諸島を含む先島《さきしま》諸島に被害が及びかねないこと。④政府は、自国本土の防衛だけでなく、先島諸島の住人、台湾や中国本土にいる邦人、の保護もしなければならないこと、などが指摘されています。[46]

中国が、台湾に進行することになれば、それは、同国にとって、負けられない「総力戦」になること、を意味します。

有事には、17・5万人規模とも言われる「サイバー部隊[47]」を使い、台湾や日本、米国に対して、ロシアがウクライナなどに行った「ハイブリッド戦」、を仕掛ける確率が高いでしょう。さらに、中国軍は近年、ロシア軍と、海軍の艦艇などを使った共同訓練を度々実施しています。台湾進攻と同時に、中国の要請を受けたロシアの艦艇や航空機などが、日本の領海や領空等を侵犯。日本国内を動揺させようとする可能性、も否定できません。

今から、こうした事態への対処法、を決めておく必要があるのです。

中国を待ち受ける「少子高齢化」

一方、中国も国内に難題を抱えています。代表格が、急速に進む「少子高齢化」です。まず総人口。22年、死亡者数が出生者数よりも多くなった結果、61年ぶりに総人口が減少しました。[48]これは、「一人っ子政策」が長く続いてきたことによる、構造的な現象です。

国連人口基金（国連の下部組織）は23年4月、同年半ばにインドの人口が中国を上回る、という推測を発表しています。[49]

中国の22年時点でのTFR（合計特殊出生率）は、1・18。[50]同国政府は近年、一人っ子政策の誤りをようやく認めて、これを廃止。16年にはすべての夫婦に2人目の出産を認め、21年には3人目も容認しています。しかし、TFRが上向く兆しは、見られません。

中国における少子高齢化の影響は、すでに表れています。たとえば、中国・国家統計局の発表によると、15~64歳の「生産年齢人口」は、13年の10億1041万人をピークに減少を始め、21年には9億6481万人になった、と言います。[51]同人口が8年間で、日本の総人口の3分の1以上に当たる、4500万人強も減ったのです。これに伴い、総人口に占める生産年齢人口の割合も、10年の74・5%をピークに減り始め、21年には68・3%となっています[52]。11年間で6・2%ポイントの減少。日本よりも速い減り方です。

ちなみに日本では、21年10月1日時点で、同割合は59・4%。比較可能な1950年以降、過去最低を更新中です[53]。翌22年同日時点でも、同率となっています[54]。

65歳以上の人口の割合、「高齢化率」は急増しています。中国・国家統計局の数字では、90年代以降、2000年までは6%前後で推移しました。しかし、2001年に7・1%となって以降、高齢化率が増加。21年には14・2%、となっています[55](日本は同28・9%)[56]。世界の主要国で、TFRの増加に成功した国は、ほとんどありません。中国のTFRも同様に、低迷・下降を続け、高齢化率がさらに増加する可能性は高い、と思われます。

さらに、主流の説ではありませんが、中国の人口は実際には、14億人ではなく、10億人程度だという可能性、に言及する意見もあります。

香港出身の経済学者、練乙錚《リアン・イーゼン》氏は、『ニューズウィーク』への寄稿で、①22年6月、上海警察のデータベースへのハッキングがあったこと。②その際、個人を特定できる最新の情報を含む、約10億人分のデータセットが流出したこと。③研究者たちがそれを、「ダークウェブ」と呼ばれる、犯罪者などの使うウェブサイト、の1つで購入。④分析した結果、中国の実際の「人口動態プロファイル」（注：個人の識別情報など）と非常によく合致していたこと。⑤10億人分ものデータは、人口統計で使うには多すぎること（注：通常は、総数の数％以下ですむ）。そこから、⑥この10億人は、中国の全人口だった可能性がある、と述べているのです[57]。

米国に握られる大豆

弱みの2つ目は、「食用の農産物」の一定部分を、米国からの輸入に頼っていること。たとえば「大豆」は、15年の数字で、中国の国内自給率がわずか13％。米国産が、輸入量の35％を占めています。

一方、「トウモロコシ」「小麦」は、自給率が98％、と高めです。ただし、トウモロコシでは、米国産が輸入量の10％。ウクライナ産が81％。小麦は、米国産が輸入量の20％。豪州産42％。カナダ産33％となっています[58]。

もし中国が台湾に攻め込めば、米国は、中国への農産物輸出を止めるのと同時に、ウクライナや豪州、カナダに働き掛け、大規模な輸出規制を行うでしょう。危機感を持った中国政府は近年、食料の国内自給率の向上を訴え、輸入先の分散を図《はか》っています。[59]

中国のさらなる弱み

3つ目の弱みは、習近平氏への「権力集中」が進み過ぎたこと、です。

習氏は、22年10月の中国共産党大会（一中全会）で、3期目の「党中央委員会総書記」（党序列1位）になりました。同時に、自身を入れて7人の最高指導部、「党中央政治局常務《じょうむ》委員」のうち6人を自派で固め（あと1人は無派閥）、その下の、17人より成る「党中央政治局委員」のすべて、を自派から出したのです。[60] 同氏は、中国政治を一手に握る存在となりました。

ここには落とし穴もあります。習氏を除く23人の指導層は、全国レベルでの経済政策を担った経験を持っていないのです。すべてが彼の一存で決まる、と言っても過言ではありません。習氏は、経済への統制を好み、強硬な対外姿勢を示しがちです。しかし、同氏に諫言《かんげん》できる人物は、一中全会を経て、すべていなくなってしまいました。

弊害《へいがい》は、すでに表れています。不動産業は、関連産業も含めると、中国のGDPの約3割を占める巨大産業[61]。近年、そこへの規制を強めたことなどで、経済が失速しています。

さらに中国では、国家統計局によると、経済の停滞などを背景に、16～24歳の若者の失業率が、23年3月時点で19・6％[62]。約5人に1人に上る、と言います。さらに、北京大学国家発展研究院の張丹丹《チャン・ダンダン》副教授の説では、その数字には、約1600万人の「（注：卒業・中退等のため）学校に通っておらず、自宅などで暮らし、（就職をあきらめた、等の理由で）職探しもしていない若者」が含まれていないため、それを含めて計算すると、若年層の実際の失業率は46・5％に上る、と言います[63]。不満の種は蒔《ま》かれています。

4つ目の弱みは、超大国へと発展を続ける隣国インドを、米国寄りに追いやったこと。従来、インドは、「中立主義」を標榜《ひょうぼう》し、米ロ中と等距離の関係を保ってきました。しかし、習氏は22年12月、中印の国境付近にあるインド・アルナチャルプラデシュ州に、中国軍を進入させたのです。これは、インドの激しい抵抗で撃退されますが、以降、習氏は、同州を「南チベット」と呼び、領有権を主張するようになります[64]。中国が取った一連の行動は、インドに深い警戒感を呼び起こし、同国は米国に近づきました。結果、中国は、日韓豪とインド、それを支援する米国、に挟《はさ》まれる地政学的構図、を自ら生み出したのです。

「平和安全法制」関連2法が成立

日本政府は近年、東アジアで紛争が起きた際に備え、安全保障体制を変化させています。

そこではまず、「平和安全法制」関連の2法が、15年9月に成立。翌16年3月に施行されたこと、が挙げられます。同2法は、新規に制定された「国際平和支援法」と、これまであった10本の法律を一部改正して束ねた「平和安全法制《ほうせい》整備法」、を指します。

「国際平和支援法」は、国際社会の平和と安全の確保のために共同して対処する諸外国の軍隊、への支援活動の実施、を定めたもの。

「平和安全法制整備法」は、従来あった「自衛隊法」「国際平和協力法」「周辺事態安全確保法」(名称を「重要影響事態安全確保法」に変更)、「船舶検査活動法」「事態対処法」「米軍行動関連措置法」(「米軍等行動関連措置法」に変更)、「特定公共施設利用法」「海上輸送規制法」「捕虜取扱い法」「国家安全保障会議設置法」という10本の法律の、法律名や条文の変更、をその内容としています。[65]

注目点は、何と言っても、「重要影響事態安全確保法」「事態対処法」「米軍等行動関連措置法」などの成立を受けて、日本が攻撃を受けた場合のみならず、「存立《そんりつ》危機事態」と呼ばれる状況が発生した際には、自衛隊が活動を行うことが可能になったこと、です。

日本政府は、国際社会に対し、「これは存立危機事態だ」として自衛隊に活動を命じる際には、次の3点を要件にする、と説明しています。

①日本に対する武力攻撃が発生したこと。または、日本と密接な関係にある他国に対する武力攻撃が発生し、これにより日本の存立が脅かされ、国民の命や自由、幸福追求の権利が、根底から覆《くつがえ》される明白な危険があること。②敵国などからの攻撃を排除し、日本の存立と国民を守るために、他に適当な手段がないこと。③実力行使を必要最小限度にとどめること。[66]

とくに注視すべき点は、①の後半です。この場合の、日本と密接な関係のある他国とは、「日米安保条約」によって、日本と同盟関係を結ぶ「米国」、を指しています。

日米安保条約は、日本が米軍の駐留を認める（第6条）代わりに、米国が日本の防衛義務を負う（第5条）こと、を取り決めています。しかし従来は、日本を防衛する米軍が、日本周辺で攻撃を受けた場合、日本がどう対処できるのか、明確な規定がありませんでした。
これに関連して、当時の安倍晋三総理大臣（総理大臣、は日本の首相の別称）は、回顧録の中で、「日本の領土を守るために米軍が攻撃を受けた時、こちらが米軍を助けなければ、その瞬間、日米同盟は終わります。だから安全保障関連法（注：平和安全法制関連2法）が必要だった[67]」と述べています。同2法が制定されたことで、そうした場面でも、日本が対処できることを明確にし、国際社会にこれを示したのです。

ちなみに私は、特定の政党を強く支持する者ではありませんが、この『安倍晋三 回顧録』、長年、日本の政治・行政のトップにいた人物にしか語れないことが、多く記載されています。首脳会談で、同氏が、外国の最高指導者らと何を話したのか。政治家と行政との微妙な関係、など。政治や外交・安全保障に関心のある人には必読、と言ってよいでしょう。ただし、同書に記載された内容は「公式発表」だということ、も押さえておく必要はあります。

他方、平和安全法制関連2法が成立した前後の時期には、同法が日本を戦争に導くとして、国会議事堂周辺などで、大規模なデモも起きました。反対の声もあったのです。

「反撃能力」の保有を認めた「防衛3文書」

日本が近年行ってきた、安全保障体制の見直しは、他にもあります。

中でも重要なことの1つが、22年12月に政府の行った、「防衛3文書」（安全保障3文書）の改定、です。同3文書とは、①外交・防衛の基本方針となる「国家安全保障戦略」。②今後10年間の防衛方針を定めた「国家防衛戦略」（以前の「防衛大綱」）、③装備の取得計画と自衛隊の体制を決めた「防衛力整備計画」（以前の「中期防衛力整備計画」）、を指しています。

①が根幹となる方針で、その下に、中期的な防衛方針を決めた②があり、それをもとに、具体的な実行計画を規定した③がある、という構造です。

注目されるのはまず、①の「国家安全保障戦略」で示された、日本周辺にある脅威でしょう。そこでは、中国の外交姿勢や軍事活動が「深刻な懸念事項」であり、日本の平和を確保する上で「最大の戦略的な挑戦」だと明記しています。核兵器やミサイルの開発を加速する北朝鮮については、「従前よりも一層重大かつ差し迫った脅威」。ロシアに関しては、「中国との戦略的な連携と相まって、安全保障上の強い懸念」だと記しました。

その上で、日本の「反撃能力」の保有、に言及したのです。[68] さらに政府は23年1月、防衛関連の予算水準を、27年度に、現在のGDPの2%に増やすこと、を決定しています。[69] 日本の防衛費は、1976年に三木内閣が、GNP（国民総生産）比で1%を超えないこと、を閣議決定してから、概《おおむ》ねこの水準を守ってきました。これを倍増すること、が決まったのです。

極超音速ミサイル、高出力レーザー兵器、無人戦闘車両システム

23年度の防衛関係費は、22年度比で26%増の、約6兆8000億円。「新技術・兵器」の研究・開発費は、契約額ベースで、22年度の約3倍に当たる9000億円、となっています。

その一部は、「極《ごく》超音速ミサイル」を始めとする、各種の反撃用ミサイルの研究・開発。日本を攻撃してきた弾道ミサイルや巡航ミサイルを撃ち落とす「迎撃ミサイル」の配備。（運用システム等の詳細を教えてくれない米国製戦闘機、の購入ではなく、）「次期戦闘機」の英国・イタリアとの共同開発、などに使われます。

最新技術を使った兵器に関しては、①「高出力レーザー」「高出力マイクロ波」によって、ミサイル等を撃ち落とす技術の研究（45億円）。②電磁波で砲弾を高速で飛ばす「レールガン」の研究（１６０億円）。ただし発射には、大量の電力を使うため、実現可能性は不明。米軍は22年度に開発を中止）。③「無人戦闘車両システム」の研究（68億円）、④「ＵＵＶ」（無人水中航走体：Unmanned Undersea Vehicle）の管制技術に関する研究（２６２億円）。⑤「群目標」への対処法の研究（53億円）などが入ったこと、が注目されています。[70]

⑤の群目標は、多数の機体がＡＩ（人工知能）によって一体化し、敵を攻撃するドローン、などを意味しています。東京五輪（21年）、北京五輪（22年）の開会式では、多くの小型ドローンが一体となって舞い踊るショーが繰り広げられました。こうしたドローンが、爆弾を積み、敵方の部隊に次々と突っ込んでいくのが、群目標です。

中国やロシア、米国などは、巨額の予算を投じて、こうした兵器を開発しています。日本も、不安定な東アジアの安全保障環境の中で、同領域に足を踏み入れたのです。

こちらからサイバー攻撃を仕掛ける、という選択

近年の安全保障の分野は、従来の陸、海洋、空だけにとどまりません。

「サイバー空間」「宇宙空間」。この領域では、ロシアがウクライナに対してサイバー攻撃

を仕掛け、北朝鮮は7000人規模、中国は約17・5万人と推定される、巨大なサイバー部隊を保有・運営していること、は前述しました。そこで防衛省も、890人前後いる自衛隊のサイバー関連要員を、27年度までに4000人程度に増員することを決めています。[71]

23年1月には、「サイバー安全保障体制整備《せいび》準備室」を創設し、「能動的サイバー防御《ぼうぎょ》」を可能にする法整備を進めること、が決まりました。

能動的サイバー防御は、「積極的サイバー防御」「アクティブ・サイバー・ディフェンス」とも呼ばれます。サイバー空間を常時監視し、怪しいアクセスがあれば、攻撃元を探知して、被害が起きる前にこちらからサイバー防御を仕掛ける、という対処法です。政府が考える同防御の具体的な範囲などは、明らかになっていません。とは言え、これは、専守防衛を定めた憲法9条、通信の秘密の確保を謳った同21条、不正アクセス禁止法、などに触れる可能性があります。そのため、新たな法整備が必要になりつつあるのです。

「航空自衛隊」は「航空宇宙自衛隊」へ

宇宙空間についても、主要各国はすべて、ここを戦場の1つだと考えています。

人工衛星の数を見ると、ソ連が1957年に打ち上げた「スプートニク1号」を皮切りに、世界では22年前半までの間に、約1万3000基が打ち上げられています。[72]

近年、その規模は拡大し、22年には世界で、過去最多の2368基の人工衛星が発射されました。[73] 中には、軍事・安全保障を目的としたもの、も含まれています。防衛省によると、20年において軍事衛星を100基以上保有する国は、米中ロの3か国。米国は128基、中国は109基、ロシアは106基、運用していると言います。日本の稼動数は、同時点で10基前後、とされています。[74]

種類としては、味方と敵の正確な位置を調べる「測位《そくい》衛星」。遠くにいる味方部隊との通信に使われる「通信衛星」。敵の弾道ミサイルが発射されたことを、早い段階で探知する「早期警戒衛星」。敵の基地や個人などを撮影する「偵察衛星」、等があります。

どれも性能が、時代とともに向上し、最新の偵察衛星のカメラでは、解像度が少なくとも1ピクセル（画素）あたり10㎝程度、だという報道もされています。[75] これは、写っている車両の車種や、そこに取り付けられた装備。さらには、身長や体格などを把握し、個人がある程度、識別できるようになる水準、だと言います。[76]

日本政府も、宇宙空間における安全保障の重要性を認識しています。22年12月の「防衛3文書」の改定では、まず、航空自衛隊という名称を「航空宇宙自衛隊」へと変えることを決めました。その上で、23年度当初予算では、宇宙空間における作戦能力の強化のために、1529億円を計上しています。さらに23年度からの5年間で、合計1兆円の宇宙関連の契約を結ぶこと、を決定しました。[77] 19〜22年度の宇宙関連経費は、年間で数百億円規模でしたから、政府が、宇宙分野での安全保障に注力し始めたことがわかります。

「日米安保」を補完する、安全保障の枠組みが立ち上がる

日本は近年、周辺各国との間での、安全保障に関する「協力関係」を強化すべく、さまざまな枠組みを作っています。

従来の、日米安保条約を基にした米国の「核の傘」、に加え、近年は、豪州や英国と、「準同盟」とも言える関係を築きつつあります。両国と、機密情報を守るための「情報保護協定」。物資や要員による活動の提供を定めた「物品役務《えきむ》相互提供協定」。豪州との間で、同国軍の軍人と自衛隊員が、訓練その他の目的で、互いの国を行き来する手続きを簡素化すること等を決めた「円滑化《えんかつか》協定」、などを結び、安全保障上の協力体制を強化しているのです。

さらに、二国間の「2プラス2《ツー》」（外務・防衛相による協議）を、米国や豪州、英国、独仏印、インドネシア、フィリピンなどとの間で開始・継続しています。

多国間では、日米韓・日米豪の閣僚級対話、等を実施するようになりました。[78]

また日本は、「自由で開かれたインド太平洋」（FOIP《フォイップ》：Free and Open Indo-Pacific）と呼ばれる枠組みの推進、に注力しています。これは、当時の安倍晋三首相が16年8月に発表した「自由で開かれたインド太平洋戦略」から始まった政策。ただし、「戦略」という言葉の持つ軍事的意味合いを嫌ったASEAN諸国に配慮。「同構想」に代わった後、構想の文字も取れて、現在の名称に至りました。[79]

内容としては、①法の支配、航行の自由、自由貿易等の普及・定着。②経済的繁栄の追求：経済連携の強化など。③平和と安定の確保：海上における国際法などの執行能力の構築、人道支援・災害救援等、の3つの柱が掲げられています。

FOIPは、東アジアを起点として、南アジア、中東、アフリカに至る地域をカバーしています。域内で、安全保障の確保、インフラ整備、経済発展、ビジネス環境の整備、などを目指しているのです。[80]日本にしては珍しい、優れた大戦略だと言えるでしょう。

さらに17年には、日米豪印による「QUAD《クアッド》」（日米豪印戦略対話。4か国戦略対話：Quadrilateral Security Dialogue）という話し合いの場も立ち上がり、21年3月からは首脳級（日本は首相）の会談が始まりました。[81] クアッドの主眼は、急成長する、アジアの大国インド、を友好国として引き込むことにあります。

極東ロシアの石油・ガス権益は手放す方がよいのか？

日本の立場を理解するためには、危険国との間での、経済関係も見る必要があります。

北朝鮮との関係では、日本が経済制裁を実施。06年にすべての輸入を、09年にすべての輸出を禁止しています。そのため、両国間での輸出入は現在、いっさいありません。[82] 北朝鮮の、この分野での影響力は、ほぼゼロだと言えます。

一方、ロシアと日本の関係では、日本が多くのエネルギー資源を輸入していること、が特徴です。21年の数字では、日本が輸入した化石燃料のうち、ロシアの割合は、原油で4％、LNGで9％、石炭で11％に上ります。[83]

22年2月に、ロシアがウクライナを侵攻して以来、欧州各国はロシア産エネルギー資源の輸入規制を実施しています。しかし、日本政府や日本企業などは、ロシア極東の「サハリン1」「同2」と呼ばれる油田・天然ガス田の運営企業に出資（発行済み株式数の2～3割程度を購入）。そこから産出される石油や天然ガスを買っています。[84]

日本はこれまで、エネルギー資源のほとんどを、サウジアラビアやＵＡＥ（アラブ首長国連邦）、カタール、クウェートなど、中東各国からの輸入に依存してきました。この状況を危惧した日本政府と関連企業が、ようやく獲得したのがサハリン1、2の権益です。

ウクライナ戦争の非情さを考えれば、この権益は手放す方がよいのかもしれません。

ただ、権益を一度手放せば、ウクライナ戦争が終結した後、再び得ることは難しくなるでしょう。手放しても、中国などが権益を買うだけかもしれません。ロシアのエネルギー資源とどう向き合えばよいのか。日本には、この問いが突きつけられているのです。

「サプライチェーン」が複雑に入り組んだ日中経済

中国とは、経済面で、より複雑に入り組んだ関係があります。

まずは、両国の貿易規模から。税関によると、日本の貿易総額（輸出入金額の合計）は、21年に168兆円。貿易相手国・地域では、1位が中国38兆円（23％）。2位米国24兆円（14

%）。3位台湾10兆円（6%）。4位韓国9兆円（6%）。5位豪州7兆円（4%）[85]。中国が、日本の貿易相手の、突出した首位となっていることがわかります。一方、前述したロシアは、上位10か国・地域に入っていません。中国の、経済面での存在感は、ロシアとも比較にならないほど巨大です。

また、日中の貿易は、「サプライチェーン」（供給網）全体が密接に結びついていること、が特徴的です。少し説明しましょう。ある製品を製造・流通させる場合、原材料の採掘・生産、調達、製造、流通、販売、メンテナンス、リサイクルまたは廃棄、などという流れをたどります。その各過程の中にも、さらに細かい過程があり、無数の人々、企業などが関わっています。そうした流れ全体を、サプライチェーンと呼びます。

ここで、両国間の輸出入の内訳、を見てみましょう。ジェトロ（JETRO。日本貿易振興機構）の調査によれば、日中間の貿易総額は、21年のドルベースの数字で、前年比15%増の3914億ドル。うち、日本から中国への輸出は、同17%増の2062億ドル。中国からの輸入は、同13%増の1853億ドルでした[86]。

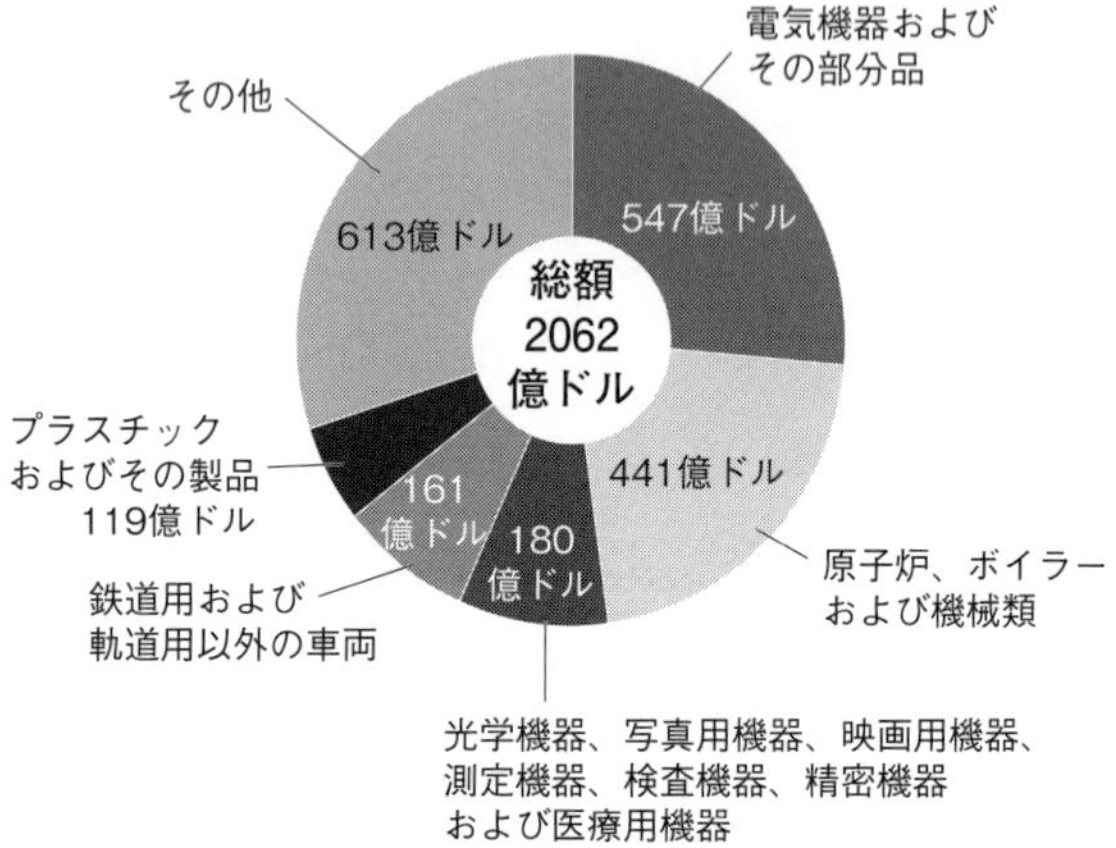

グラフ4-1　日本から中国への輸出の内訳（21年）
半導体などの電子機器およびその部分品など、日本の技術力を活かした製品を、多く輸出していることがわかる　（出典）ジェトロ「2021年の日本の対中輸出」

輸出の内訳では、1位が「電気機器およびその部分品」で547億ドル（輸出総額の27％）。多くは、各種の半導体です。2位「原子炉、ボイラーおよび機械類」441億ドル（21％）。3位「光学機器、写真用機器、映画用機器、測定機器、検査機器、精密機器および医療用機器」180億ドル（9％）。4位「鉄道用および軌道用以外の車両」161億ドル（8％。乗用車やその部品がほとんどを占める）。5位「プラスチックおよびその製品」119億ドル（6％）。ここまでで、輸出総額の約7割を占めます（グラフ4－1）[87]。

輸入は、1位が「電気機器およびその部分品」で541億ドル（輸入総額の29

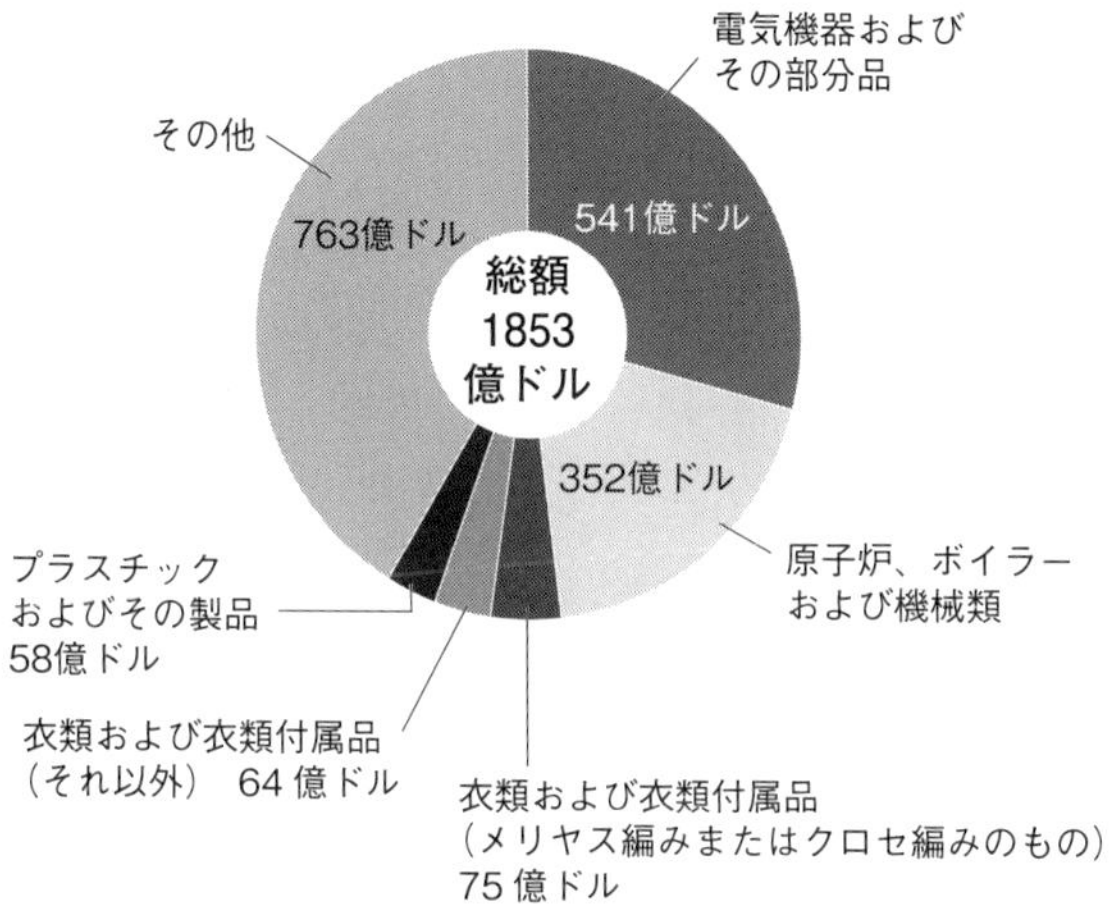

グラフ 4-2　中国からの輸入の内訳（21年）
前掲した、輸出の内訳と、品目が似ていることがわかる。日中が、経済で緊密に結びついていること、が見て取れる　（出典）ジェトロ「2021 年の日本の対中輸入」

％）。2位「原子炉、ボイラーおよび機械類」352億ドル（19％）。3位「衣類および衣類付属品（メリヤス編みまたはクロセ編みのもの）」75億ドル（4％）。4位「同（それ以外）」64億ドル（3％）。5位「プラスチックおよびその製品」58億ドル（3％）。ここまでで、輸入全体の約6割を占めています（グラフ4－2）。[88]

「輸出入」を比べてみましょう。1位と2位、5位が同じ品目です。

これは両国が、それぞれの作る製品の素材や材料、部品などをやり取りしていること、を意味しています。

そこでは、日本企業が、中国企業から輸入した材料を使い、部品を作って輸出。輸入した中国が、別の部品を作り、そこに装着してから加工し、日本に輸出する……、などといったことが日々行われているのです。まさに、グローバル化がもたらした有《あ》り様《よう》だと言えます。

一方、米国との貿易では、輸出入の上位品目の分野が、あまり重なっていません。

貿易相手としての米国の重要性が大きいこと、は確かです。他方、中国との貿易関係は、複雑に入り組んでいるだけに、台湾などをめぐって、日中間に問題が起き、もしその貿易が滞ることになれば、両国の経済が甚大な被害を被ります。そしてここには、多くの中小企業が関わっています。中小企業は、規模が小さく、資金力が弱いという特徴があります。そうした企業は、日中間で貿易が滞れば、倒産の憂《う》き目に遭う可能性も高いでしょう。

有事が起きないよう、日本としても、外交を含めた最大限の努力が必要です。それを逆手《さかて》に取られ、日本が不必要な譲歩を迫られるようなことは、避けなければなりませんが。

第5章　ヒトが「拡張」する

AI、そしてロボット

社会を一変させるコンピューターの「演算能力」向上

世界で、そして日本で、ヒトが「拡張」しています。

拡張する分野の1つ目は、「知的能力」。ヒトの脳が、さまざまな情報を処理する際に手助けとなるコンピューター、の演算《えんざん》能力が近年、驚異的な発展を続けているのです。

高性能になったコンピューターは、「スーパーコンピューター」（スパコン）や「ＡＩ」（人工知能：Artificial Intelligence）などという形で、大きな発展を遂げています。

スーパーコンピューターは、大量のデータを入力すれば、それを超高速で計算することができます。気象予測や、（荷物の配送経路の算定、を始めとする）最適化問題など、巨大な情報処理能力を持たなければ計算できないような課題、を解くのに使われます。

さらに近年、ＡＩが、社会の隅々にまで入り込みつつあります。

ＡＩには正確な定義がありませんが、大まかに言うと、人間が行う知的な作業を実行するためのプログラムや、それをもとに作られたシステム、です。

ＡＩには無数の用途があります。現時点では、「自然言語処理」や「音声認識」「画像認識」、製造用機器や自動運転車を始めとする「機械の制御」、などが代表例です。さまざまなタンパク質の立体構造の「予測」や、そこから可能になる「創薬」、「コミュニケーション」「エンターテインメント」といった分野でも、ＡＩの活用が進んでいます。その用途は今後、飛躍的に拡大していくでしょう。

自然言語処理の「自然言語」とは、コンピューターを動かすプログラムなどの「機械言語」等に対する、ヒトが用いる言語、を指します。コンピューターが実行する自然言語処理は、人間が日々行う、言葉の読み書きに相当する作業、を意味しています。

音声認識は、ヒトの音声を聞き取ってテキスト（文字）化したりする技術です。

「ディープラーニング」の成功が、AIの能力を拡張した

ＡＩの情報処理方法の主流は、①入力された情報を、「0」か「1」、からなるデータの塊《かたまり》に変換し、②その入力データを、すでに学習された、インターネット上などにある大量

のデータをもとに、何度も処理する中で、③候補とする複数の回答を生成し、④それらを「点数化」して、⑤点数がもっとも高いと判断されたもの、を答えとして出力するもの。そこでは、⑥人間が回答の正誤を教える場合もあります。

このときAIは、生成された点数、の高さにもとづいて回答を作り出しているだけ、というところは、押さえておく必要があります。AIが、入力された質問や指示などの「意味」を理解している訳ではありません。

AIの多くは、「機械学習」と呼ばれる手法を使って、回答の精度を高めています。

機械学習とは、大雑把に言えば、コンピューターが、入力されたデータ（インプット）をもとに、そのデータが出現するための「ルール」や「パターン」を見つけ、出力データ（アウトプット）を生成する技術。近年は、そこから、「予測」「判断」を行うことも可能になってきています。

中でも今、注目されているのが、「ディープラーニング」（深層学習）です。これは、機械学習の一種で、インプットとアウトプットの間に、情報を分析・統合するための「中間層」を多数作製。人間にはわからないほど複雑な、情報のルールやパターンなど、を読み解いていきます。中間層の数を増やせば、より難易度の高い問題を解くことが可能になります。

図5-1　生成された冨永愛さんの3Dアバター　この動画も配信中。最後で、手前のアバターが、こちらをチラリと見るのが少し驚き。「サイバーエージェント」「冨永愛」で検索　（提供）サイバーエージェント

「半導体」の回路《かいろ》幅の微細《びさい》化、などによるコンピューターの性能向上が、このディープラーニングの発展を後押ししました。それによって、ＡＩができることの範囲が急速に増えてきつつあるのです。さらに、ＡＩとスーパーコンピューターを組み合わせ、きわめて複雑な課題を、ごく短時間で解くための研究も進んでいます。

日本社会に実装されるＡＩ

ＡＩは、日本社会の多くの領域で、研究・開発、実装が進んでいます。

たとえば、広告・メディア事業を展開するサイバーエージェントは、タレントの３Ｄ（３次元）アバター（分身）を、ＡＩを使って生成し、動画広告に活用しています。

第1弾は、モデル・女優の冨永愛さんの３Ｄアバター。さまざまな表情・髪形・衣装のアバターが、彼女の声のトーンや口調で話をする動画広告を、多数制作しました。そして、視聴者に最適化された（ＡＩがその人に最適だと判断した）広告を流すことのできるＡＩを、23

年に稼働させています。このシステムでは、まず冨永さんのいろいろな表情・声などを録画・録音。それを、ＡＩに入力することで、ＡＩが多種多様な動画を生成したのです。

その広告動画の配信は一部、すでに始まっています。冨永さんの３Ｄアバターが、三菱地《じ》所《しょ》レジデンス（東京・千代田）の仮想空間上にあるマンション、のモデルルームを案内してくれるのです。同社のウェブサイトで公開しています（図５－１）。[1]

図5-2 「パッケージデザインAI」が制作に関わった、味の素の商品パッケージ　パッケージを作る際、複数の案を制作し、同AIに提示すれば、それらへの評価がすぐに出力される。また、改良→評価→改良→評価、といったプロセスを経て、消費者の好感度、購買意欲、を素早くアップしていくことも可能　（提供）味の素

味の素は、調査・デザイン会社プラグ（東京・千代田）が東京大学と共同研究した「パッケージデザインＡＩ」を使い、商品パッケージの制作、を試験的に始めています。

同ＡＩは、約１０２０万人の消費者への調査結果を読み込み、そのデザイン案を入力すると、そのデザインに対する消費者の、好感度や、「おいしそう」「かわいい」など19の印象度、についての評価を、10秒ほどで出力します（図５－２）。[2] これによって味の素は、商品パッケージを、効率的かつ効果的に作成することが可能になったのです。[3]

ヒトのような会話を創り出す

ＡＩを使った人との会話システムである「対話型ＡＩ」、を扱うウェルヴィル（東京・文京）は、高齢者の「見守り」などに用いるためのＡＩ、を研究しています。同社はこのＡＩに、アバターを画面上に生成させ、それが人と、心地よい会話を長時間続けることを可能にさせるべく、開発を進めています。[4]

対話型ＡＩが社会に実装され、高齢者がＡＩを、会話の相手とみなすようなことが起きれば、高齢者の孤独解消に一役買うことになるかもしれません。

また国内では、20年の国勢調査で、「一人暮らし」の人が約２１１５万人（同年の日本人の17％弱）いること、が明らかになっています。[5] さらに、内閣府が22年11月に実施した調査では、「引きこもり状態」に陥っている人が、15～64歳で１４６万人ほどいる、と推計されています。[6] 対話型ＡＩが、こうした人々の一部にでも、孤独からの救いを提供できれば、と思います。もちろん、人による支援の手、が届く方が望ましいのですが。

子どもたちのために、両親などの声を合成するＡＩもあります。

タカラトミーが22年9月に発売したスピーカー「コエモ」（ｃｏｅｍｏ）は、ＡＩ音声合成サービス「コエステーション」と連動し、両親や祖父母などとそっくりの合成音声（コエ）で、物語等を子どもに聞かせることができます。

スマホに、コエモとコエステーションのアプリ、をインストール。子どもに、自分の声を聞かせたい親や祖父母等が、コエステーションを使って声を登録します。すると、あらかじめアプリに登録されている童話など45作品（追加の有料作品あり）の、登場人物の声が、親や祖父母そっくりのコエとなって、コエモから流れてくるのです（図5－3）。[7]

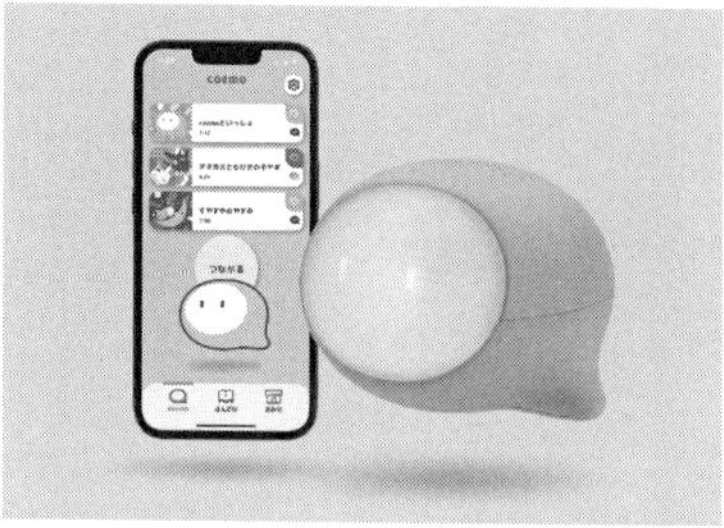

図5-3　スピーカー「coemo」　AI音声合成サービスによって生成された、両親や祖父母などの声による、童話等の読み聞かせをしてくれる（提供）タカラトミー

この技術を応用して、亡くなった人と会話できるサービスも始まっています。

米国のスタートアップ（新興企業）ですが、ヒヤアフターＡＩ（HereAfter は、来世）は、故人などと、画面越しにリアルタイムで話ができるサービス、を提供しています。同社はユーザーから、故人の生前の音声を一定程度の長さ、提供してもらった上で、ＡＩを活用。故人の声のトーンやしゃべり方、話す速度、内容等を解析。ユーザーが、専用アプリをインストールしたスマホ・ＰＣなどを使って、ＡＩの生成した故人に話し掛けると、故人がいかにも話しそうな内容を、故人の声色、しゃべり方で語り掛けてくるのです。[8]

読み書きでは、「言語の壁」が消失

他の言語の翻訳に使う「翻訳生成ＡＩ」（以下、翻訳ＡＩ）が、急速に進化しています。

たとえばグーグルの元社員が創業したドイツ企業、Ｄｅｅｐ《ディープ》Ｌ ＳＥの開発した翻訳ＡＩ「ＤｅｅｐＬ」は、有料版のＰｒｏで、29か国語の翻訳ができます。無料版もあり、これは、世界で10億ユーザーが使っています。[9] ただし無料版では、翻訳可能な文字数に限りがあり、長文の翻訳はできません。

翻訳ＡＩは、ヤフーやグーグルなど多くの企業が、一般の人に、無料での利用を可能にしています。後述する、対話型生成ＡＩの「Ｃｈａｔ《チャット》ＧＰＴ」なども、無料翻訳ができます。日本企業が開発した翻訳ＡＩもあります。

これらの中でも、ディープLの翻訳力は一段高く、論文や新聞記事など専門的な文章を、かなり正確な日本語文に直してくれます。私も時々使用していますが、専門分野の研究論文でも、かなりの精度で翻訳してきます。

23年11月時点では、総じて言えば、①論文やレポートなど正確さの求められる文章の翻訳ではディープLを、②外国語を使う友人や知人などとメッセージをやり取りする場合には、チャットGPTや、グーグルの対話型生成AI「Bard《バード》」などを、使用することが効果的だと思われます。

②では、「以下の文章を、17〜22歳の同年代の男子に向けた、親しみを込めた英文に直して」「40歳の女性の米国人教師への、以下のあいさつ文を、丁寧《ていねい》な英語文に翻訳して」など、作ってほしい文章の、細かいニュアンスを伝えると、それに沿った文章を作成してくれます。ただし①②とも、「誤訳」や、元の文章が翻訳後に漏れ落ちる「抜け」などが、しばしば見られるので、③生成された翻訳文の、正誤や適否等を確認する作業、は必須です。

ともあれ、翻訳AIの進化によって、文章の読み書きに関しては、研究活動やビジネス、日常生活で、「言語の壁」が急速に低くなっています。この流れは止まらないでしょう。

LとRの区別は簡単

しかし、翻訳ＡＩが今後、いつ、どこまで、社会や日常生活の中に入り込んでくるのか、はまだわかりません。対面での日常的な会話や、仕事上での打ち合わせや会議などで使うため、外国語の単語や文法を覚える作業は不可欠です。

とりわけ英語は、今や世界語。どの国に行っても、一定程度の人が英語を話します。日本語と英語は、文法構造が異なるため、私たちは、英語を習得するため、欧州などの人々よりも多くの時間を費やさなければなりません。しかし、どの国の学生・社会人も、長時間を掛けて英語の習得に励んでいます。英語を使う能力は、これからの世界で必須の要件。地道な努力は、変わらず重要です。

ちなみに、日本人は、英語の「L」と「R」の区別が苦手だ、と言われます。

そこで1つ、アドバイス。Lは日本語の「ル」、Rは「ウル」に近い発音です。Rは、強い「**ウル**」ではなく、軽く「ゥル」と発音します。なので、「reliable」（信頼できる）の米国東部での発音は「ゥリライアボー」。これは私が、英米を含む世界各地約30か国・地域と国内で、会話を続けて得た実感です。私の友人の、30代の米国人（東部出身）英語教師も、「それでＯＫ」だと言っています。ＬとＲの判別は、割と容易です。日本人がそれを苦手とする状況、もう終わりにしましょう（専門家の方々からの反論は予期していますが）。

また、多くの日本人が、英単語を「ローマ字読み」する傾向があること、は気になります。実際の発音は、少し異なります。

①英単語やフレーズを覚え、②英語圏の人々が話す言葉を、英語のウェブサイトや映画、音楽、その他のツールを使い、たくさん聞くこと、が必要です。英語を、一定以上（少なくとも数千時間）、聞き続けると、少しずつ、あるいは突然、単語の一つひとつが聞こえてくるようになり、文章を書き起こせるようなレベルになります。

破壊的な可能性を秘めた「生成ＡＩ」

近年、「生成ＡＩ」が注目されています。これは、今までヒトが行ってきた、会話、文書の作成、あるいは創造的な活動、等ができるＡＩのこと。扱う分野は多岐にわたります。

今、もっとも注視される生成ＡＩの代表例が、前述した対話型の「チャットＧＰＴ」や「バード」。前者は、米国の非営利法人オープンＡＩ、営利企業オープンＡＩ　ＬＰ（オープンＡＩから分離）、が開発しています。皆さんの多くがすでに使った経験がある、とも思います。チャットＧＰＴやバードは、単語や文章を打ち込むと、人が書くような文章を返してきます。

グーグルやヤフーのような「検索エンジン」が、多くのウェブサイトがそこにひもづけられているなど、自らのアルゴリズム（計算や処理の手順）によって最適だと採点されたウェブサイト、を順番に提示してくるのとは、まったく異なります。

ちなみにチャットＧＰＴは、ＡＩや、そのＡＩが提供するサービスの名前。この情報処理を担うのが、「ＧＰＴ－３」「同４」などと呼ばれる「ＬＬＭ」（大規模言語モデル。モデルは、計算方法、の意：Large Language Model）です。ＬＬＭが、チャットＧＰＴを動かしています。

ＬＬＭの開発に当たってはまず、その名の通り、インターネット上の大量の文章を集めます。これを「事前学習」と呼びます。ただし、この過程では、人種や民族、ジェンダーなどについての偏見《へんけん》を含んだ内容等が学習されないよう、「調整」がなされます。

その上で、ＬＬＭに「クイズ」を解かせ、それによって、「学習」をさせるのです。ここから、人間が入力した質問、などに対する回答の精度、を上げていきます。

「学習」の方法は、大雑把《おおざっぱ》に言うと、ＧＰＴに、①チャットＧＰＴのＬＬＭである「ＧＰＴ」の場合、１つの文章を、途中から隠し、その後に続く文章を「予測」させます。

②「バード」のＬＬＭ、「ＬａＭＤＡ《ラムダ》」の場合は、１つの文章の中で、１つの単語やフレーズを隠し、前後の文章から、その隠された単語やフレーズを「予測」させるのです。

両者とも、コンピューター・プログラムのコード生成などでも、同じことをします。

どちらもＡＩに、このような「学習」を、ひたすら繰り返させます。[10] これが、ＬＬＭにおける「学習」、の核となる部分です。ある意味では、単純な手法かもしれません。しかし実際には、こうした手法を用いる「ＬＬＭ」が、ＡＩの対話能力に著しい進化をもたらしました。結果、チャットＧＰＴやバードは、人間が書いているかのような、言葉による回答、を生成することが可能になったのです。

最新型であるＧＰＴ－４によって制御されるチャットＧＰＴは、有料で提供されています。

無料で利用できるバードは、「バード」「グーグル」で検索。きわめて有能ですが、回答の出典を示さず、よく間違った答えを出力してきます（「試験運用中」の表示あり）。

ＧＰＴ－４は、その能力がかなりの水準に達しています。米国の司法試験の模擬試験の結果。ＧＰＴ－３が、受験者の下位10％の回答しか生成できなかったのに対し、ＧＰＴ－４は上位10％の成績を取った、と報道されているのです。[11] バードも、近いレベルだと感じます。ただしバードは、回答の根拠となる出典を表示しないので、答えの鵜呑《うの》みは禁物です。


チャットＧＰＴを含む生成ＡＩは、①検索、②メールやあいさつ文、資料のひな型の作成、長文の要約など、「ビジネス分野」での使用、③多くの論文や資料などから、当該分野に関連した書類を抽出《ちゅうしゅつ》するといった「研究・開発分野」での利用、④過去の判例などを調べる等、「法務部門」への導入、⑤小説や詩、シナリオ、解説文などの「執筆」、⑥テキスト（文字）による「対話」、⑦コンピューターのソフトの「プログラミング」等々、多様な使い方ができます。

また、⑧絵画、写真、動画、音楽などの「創作活動」、ができる生成ＡＩもあります。

さらに、⑨コンピューター・プログラムやソフトウェア、音声認識技術と組み合わせることで、「表計算」やプレゼンテーション用の「資料作成」、音声による「会話」等、さまざまな作業・行動が簡単にできるようになるなど、「拡張性」もあります。

さらに、メタ（旧フェイスブック）も23年2月に、生成ＡＩの基盤技術「ＬＬａ《ラ》ＭＡ《マ》」を企業や個人向けに提供すること、を発表しました。これは、研究目的での使用に限って（商用利用は禁止）ではありますが、プログラムが公開されている「オープンソース」型。多数のプログラマーが、編集し、さまざまな機能を付加したりできます。このため今後、急速に、能力や使い勝手が向上し、普及が一気に進んでいく、という見方も出ています。[12]

他のＩＴ企業からも、似たような、あるいは一定の分野に限った、さらにはチャットＧＰＴなどと組み合わされた、生成ＡＩが続々と発表されていくこと、は間違いありません。

簡単になった創作活動

生成ＡＩは、社会にきわめて大きな影響を与えつつあります。日本と世界の社会、そして人類が、どこまでの影響を受けるのか。現時点ではまだ明らかになっていません。

前述したように、生成ＡＩを使えば、これまで人々が、時間を掛けないと上達することが難しかった、文章作成や作曲、作画などといった「創作活動」、も容易になります。

オープンAIが22年にローンチ（サービス提供の開始）した「DALL・E2《ダリ》」（23年10月には、個人・法人向けの有料のダリ3、も提供開始）という画像生成AIは、創ってほしい画像のイメージを文字で入力すると、それに合った画像を、ごくわずかな時間で出力してくれます[13]（ただし、画像を多数作成するときは、有料となる）。

画像生成AIは、他にも、「ステーブル・ディフュージョン」（Stable Diffusion）、「ミッドジャーニー」（Midjourney）など、多数ローンチされています。

作曲のできるAIも登場しています。

生成AIに関しては、あまりにも簡単に創作活動ができるため、小説家やライター、画家、カメラマン、映像制作者などのクリエイターが仕事を失う危険性、が危惧《きぐ》されています。これには、米音楽界で最高の栄誉とされる「グラミー賞」を主催するレコーディング・アカデミーも、危機感を持ち、23年6月、人間の作者の介在なしにAIだけで創った楽曲を対象外にすること、を発表しています[14]。とは言え、近い将来、生成AIを使いこなして、自分の創造性を活かすことが、クリエイターの仕事の多くを占めるようになる、かもしれません。

AI技術の発展により、今後、創作活動の有り様は大きく変わっていくでしょう。自動車が馬車に取って代わったのと同じことが起きる可能性、は高いと私は感じています。

AIは、ときにウソをつく

他方、生成AIが返してくる文章には、注意も必要です。

たとえば、そこには「不正確な内容」が多々含まれること、がわかっています。これは、AIに学習をさせる際、インターネット上にある多くの文章を読み込ませたことで、間違った情報やウソの情報、見方の偏った情報なども一緒に取り込んだこと、等が原因です。

ネット上で検索を行う際、従来は、検索総件数のうち世界の8割超を占めるグーグル、あるいは約9%のビング、約3%のヤフー（23年7月時点）[15]、などの検索エンジンを使い、これらが、適切だと判断して示してくる上位のサイトを見ること、が一般的でした。そして、レポートや論文等を書くときなど、ネット上で、正確さの担保《たんぽ》された情報を得るためには、行政機関や研究機関、信頼性の高い報道機関などが運営しているものを、とくに選んで、そこにアクセスすることが必須です。

一方、対話型生成AIは、質問に対して、答えを文章だけで返してくるものもあります。示してきた答えが正しいかどうか、文面を読んだだけでは判断できません。一見正しそうな印象を受けることも多い、生成ＡＩの示してくる回答ですが、その回答をもとにさらにきちんと調べたり、情報の出所をチェックしたり、といった作業が不可欠です。

日本のスタートアップの弱さ

生成ＡＩに関しては、１つ気になることがあります。日本企業の存在感のなさです。欧米各国には、生成ＡＩを開発しているスタートアップが多々あります。

有力な企業に関しては、これくらいの企業価値がありそうだ、という推定額も算出・発表されています。日経によるとこの数字は、生成ＡＩの開発を行っている世界のスタートアップだと、２９０億ドルのオープンＡＩを筆頭に、上から30番目の企業でも1億ドル前後の企業価値がある、とされています。

残念なのは、その中に、日本企業が1社も入っていないことです。[16]

危機感を持った政府も近年、対処を始めています。経産省は23年6月、スーパーコンピュータを導入するさくらインターネットに対し、同社のスパコンの演算能力を、生成ＡＩの開発を手掛けるＩＴスタートアップに、安価で提供することを条件として、導入費用の半額を補助する、と決めたのです。[17]

生成AIは、さまざまな技術と掛け合わされ、今後のヒトの生活と世界を大きく変えていく基盤となります。日本企業が、同分野に積極的に進出し、この国の経済発展につなげるとともに、AIの持つ「危険性」を最小化すること、を強く期待します。

スパコンでも1万年掛かる計算を、3分で解いた「量子コンピューター」

スーパーコンピューターよりも情報処理速度が速いコンピューター、の開発も進んでいます。代表例が「量子コンピューター」です。

これは、量子が持つ、ある特徴を応用したコンピューターを指しています。詳述《しょうじゅつ》は控えますが、従来型のコンピューターは、情報を、「0」か「1」かの2進法、に変換して処理します。一方、量子コンピューターは、情報を、「0」でもあり「1」でもある、という「重ね合わせ状態」、を利用して処理します。そのため同コンピューターは、従来型のコンピューターと比べ、入力されたデータを、より高速で処理できるのです。

グーグルは19年に、この技術を使い、最先端のスパコンが1万年掛かる計算を、3分ほどで解く、という成果を出しています。[18] それが可能なのは、ごく限られた条件の問題だけですが、量子コンピューターの情報処理速度のスケールがわかるでしょう。

図 5-4　理研が稼働させた量子コンピューター（の冷却領域）
量子コンピューターでは、0でもあり、1でもある、という「重ね合わせ状態」を利用した、「量子ビット」と呼ばれる計算の単位を使う。重ね合わせ状態を保つには、環境を、絶対零度（マイナス 273.15℃）に近い極低温を維持することが必要となる。そのため、量子コンピューターには、こうした冷却領域が付属
（提供）理化学研究所

実用化が始まれば、車両や航空機などのルート作成。株や債券など多数の金融商品を対象にした、最適な資産構成の算出。情報検索のさらなる品質向上。航空機やクルマなどにおける、流体力学の研究や素材開発。化学分野での素材や酵素の設計。創薬、などといった、きわめて複雑な計算を必要とする分野での応用、が期待できます。

量子コンピューターは、まだ研究途上の技術。しかし実装は、徐々に始まっています。たとえば、理化学研究所（理研。埼玉県和光市）は23年3月に、国産初の量子コンピューターを稼働させました（図5－4）。量子コンピューターのネット経由での利用、を可能にしたのです。これは、日本の研究機関の大きな成果だと言えるでしょう。性能の目安となる

同時点での「量子ビット」の数は64。さらに、100量子ビット超の次世代機の開発を進めています。また、スパコン「富岳《ふがく》」と接続したサービスの、早期実用化を目指す計画もあります。[19]

さらに富士通は、理研と提携し、23年度に64量子ビット、26年度以降に1000量子ビット、の量子コンピューターを公開すべく注力しています。[20]

日本は、同コンピューターの開発において、世界の先頭集団の1つに入っています。

「光」を使った技術では、理研や東京大学、NTTなどが。[21]「超電導」を応用したものでは、産業技術総合研究所（産総研。東京・千代田）等が。「冷却原子」を用いた技術では、分子科学研究所（愛知県岡崎市）が、先端的な研究を進めています。[22]

量子コンピューターに関しては、40年までに世界全体で、4500億〜8500億ドルの経済効果を生む、という予想もあります。[23]

「メタバース」って、本当に普及するの？

AIは、ヒトの「コミュニケーション能力」の拡張も後押ししています。

一例が「メタバース」（仮想空間）です。メタバースは、インターネット上に作られた場所のこと。利用者が、さまざまな姿の「アバター」（分身）となって行動します。他の人とチャットをしたり、買い物をしたり、ゲームをしたり、観光をしたりできます。

たとえば、「ＳＨＩＢＵＹＡ１０９」を運営するＳＨＩＢＵＹＡ１０９エンタテイメントは、「Ｔｈｅ　Ｓａｎｄｂｏｘ《サンドボックス》」と名づけたメタバース上に、「ＥＳＴＡＴＥ《エステート》」と呼ばれる、まとまったＬＡＮＤ（デジタル上の土地）を保有。そこで、「ＳＨＩＢＵＹＡ１０９　ＬＡＮＤ」という、渋谷を模した仮想空間上の街、の開発を進めています。ここでは、アバターを使って、アーティストやキャラクターなどとイベントを実施したり、ミニゲーム（短いゲーム）を行ったり、建物の外壁に広告を表示したりする等の利活用がされる予定です[24]。

ただし、こうした活用事例はいくつかあるものの、現時点でのメタバースは、魅力的なコンテンツが少ないこと。没入感を持って楽しむためには、「ＶＲゴーグル」（ＶＲは、仮想現実：Virtual Reality）をかぶって参加する必要があることも多く、利用者の数はその分限られること、などの理由で、本格的な普及には、課題が残っています。

その中で23年6月、米アップルは、「ＶＲ／ＡＲヘッドマウントディスプレイ」（ＡＲは、拡張現実：Augmented Reality）を、24年春に米国で発売すること、を発表しました。最初に発売されるのは、３４９９ドルという高額商品。[25] まずは、最新の製品やサービスが好きな人々（アーリーアダプター）に少数売り、製造・販売数を徐々に増やし、1個当たりの製造コストを下げ、一般に普及させる、「マーケティング戦略」を取っているのでしょう。

同社がこの分野に、本格的に参入すれば、多くの個人や企業が注目するきっかけになり得ます。メタバースの普及が、一気にではないにせよ、徐々に進んでいく可能性はあります。

人間の頭の中を読み解いたAI

ヒトのコミュニケーション能力の拡張は、こんな分野でも加速しています。

米国の話ですが、テキサス大学のアレクサンダー・フース准教授らのチームは23年5月、ＡＩが、人が頭の中で思い浮かべた言葉を文字化した、と発表したのです。

そこでは、ＡＩと、「ｆＭＲＩ」（機能的磁気共鳴《じききょうめい》画像装置）と呼ばれる医療用の機器、が重要な役割を担っています。

脳内では、情報の受け渡しや分析、意志決定、行動の指示、記憶、生存に必要な各器官への指令、などといった、さまざまな活動が行われています。脳の活動が起きると、それが神経細胞を活性化させ、結果的に、活動に関わる脳の部位の中で、血流や、血中の酸素濃度などが増加します。ｆＭＲＩは、その様子を捉《とら》えることができます。

脳内の、血流や血中酸素濃度などは、脳の活動状態、に応じて変化します。しかし両者の関係を、従来の手法では読み解くことができませんでした。


そこでフース氏らは、ＡＩの高い演算能力を、この解読に用いることにしたのです。

実験ではまず、ｆＭＲＩスキャナーに入った被験者に、インターネット上の音声や動画などを集めた「ポッドキャスト」、を数時間聴かせました。ＡＩには、被験者がどんな文章を聴いたときに、その人の脳内で、血流や血中酸素濃度の変化などがどのように起きるのか。その関係を解析させました。その上で、被験者にいくつかの文章を思い浮かべてもらい、ｆＭＲＩの画像データから、その人が思い浮かべた文章を、ＡＩに推測させました。

結果は、フース氏らの望んだ通りのものでした。たとえば、女性の被験者が、「私は叫んでいいのか、泣いていいのか、逃げていいのか、わからなかった。その代わり、『一人にして！』と言った」という文章を心の中で思い浮かべると、ＡＩは、「彼女は叫んで泣くと、『一人にして』と言った」と、不気味なまでに同じ内容の文章を出力してきたのです。[26]

日本でも、10年以上前から、ヒトが思い浮かべた言葉を読み解く研究、は進められてきました。しかし同分野では、フース氏らに先行を許したことになります。この技術が、彼らによって、特許などで囲い込まれないとよいですが（同氏らはその予定です[27]）。

念じれば機械が動く世界は、もうすぐそこ

機械・コンピューターが、脳で行われている思考を読み取ったり、逆に、脳に情報を直接送り込んだりする技術を、「ＢＭＩ」（ブレイン・マシン・インターフェイス。インターフェイスは、接点、の意）、「ＢＣＩ」（ブレイン・コンピューター・インターフェイス）などと呼びます。ＢＭＩを使った研究が、早くから進められてきた分野の1つが、運動を司《つかさど》る脳の「運動野《や》」からの指令を読み取り、離れた場所の機械・機器を動かすこと、です。

その一環で08年、米デューク大学と、日本の国際電気通信基礎《きそ》技術研究所（ＡＴＲ。京都府相楽《そうらく》郡）は共同して、1つの実験を行いました。

脳細胞同士の間で情報が伝達される際、同領域での電位が上がるため、この現象を「ニューロン発火」と呼びます。デューク大学の研究チームは、1匹のアカゲザルの脳に、「運動野」でのニューロン発火を測定するデバイスを埋め込み、施設内で歩かせました。デューク

大学のチームは、その情報を解析し、データをＡＴＲに送ったのです。

ＡＴＲでは、同データをもとに動作するようプログラムされた、ヒト型ロボットが待っていました。ロボットは、データを受け取ると、アカゲザルとほぼ同時に、同様に、歩くような軌道《きどう》で脚を動かしたのです。[28]

興味深いことに、デューク大学によると、ＡＴＲのロボットが動く様子をモニターで観《み》たアカゲザルは、その動きが、自分の歩き方に連動していることを、すぐに理解。結果、サルは、自分が歩いている様子を想像することで、止まったまま、ロボットを動かすようになった、と言います。[29]

今後、同技術は医療分野で、脳梗塞《こうそく》やＡＬＳ（筋萎縮《いしゅく》性側索《そくさく》硬化症）などによって体を動かすことができなくなった人に、周囲の電気機器やコンピューター、あるいは、それ以外のさまざまな道具などを操作する可能性、を提供するでしょう。

一方、製造業では、たとえば工場内での、微妙な作業を必要とする工程などで、作業スタッフが頭の中で、機械やロボット等の動きを思い浮かべて、それらを操作することができるようになりそうです。念じれば機器が動く。そんな未来が近づきつつあります。

ヒトの脳に、触覚や視覚などの情報を直接送り届ける試み、も続いています。それが成功すれば、次は、人の考えを相手に伝える技術の実用化、も視野に入ってきます。21世紀中に、ヒトが、テレパシーに似た無言の会話をできるようになる可能性、は十分あります。

「ロボット」の活躍が始まっている

ヒトの「物理的な能力」の拡張も進んでいます。

その1つが、ヒトの活動を代替する、「ロボット」の開発・普及です。ロボットには、定まった定義がありません。まずは、「複雑な作業のできる機械」だとしましょう。

注目すべきは、AIが制御するロボットです。

日本では現在、さまざまな産業分野で、人手不足が慢性化しています。中でも、GDPの約7割を占める、サービス業などの「第3次産業」では、生産性や賃金水準が低い水準にとどまっています。ここに、プラスの効果をもたらすのが、ロボットの導入です。

たとえば近年、飲食や小売りの店舗などで、各種のロボットが稼働しつつあります。

イトーヨーカ堂の「イトーヨーカドー アリオ橋本店」(神奈川県相模原市)では、23年1月まで、店内を自律的に移動できる「品出しロボット」の実証実験を行いました。同ロボットは、高さ数十cmの筒形。ペットボトルを詰めた段ボール10箱分を載せた、重さ数百kgの台車を牽引《けんいん》できます。このロボットは、倉庫で、台車を取りつけられ、その上に荷物を積まれると、指示された売り場まで、人の手助けなしで移動します。売り場に着くと、台車を自動的に切り離し、倉庫に戻ります。[30]

農業での実装も進んでいます。

たとえば、「授粉ロボット」。近年、都市近郊に施設を建て、イチゴやレタス、ブロッコリーなどの農産物をそこで育てるという、「植物工場」が徐々に普及し始めています。

ここで活用が始まっているのが、ハチの担ってきた「受粉作業」(「受粉」は、おしべの花粉が自然にめしべに付くこと。「授粉」は、おしべの花粉を人工的にめしべに付けること)を実行できるロボットです。

東京大学発のスタートアップ、ハーベストX(HarvestX:東京・文京)が研究を進める、同名のAIサービス。まずロボットが、複数のカメラを搭載して、自分の工場内での位置を把《は》握《あく》したり、作業をする人との衝突を避けたりしながら、イチゴが植えられたところまで移動。AIが、受粉に適した花を認識すると、綿毛状の先端部がついた棒を伸ばし、棒を使って、適切な角度から適切な強さで、花をつつきます。イチゴは、花粉を、同じ個体のめしべにつければ受粉ができる「自家受粉」をするので、これが完了すれば、食べられる部分に成長していきます。同社はすでに、提供企業の植物工場において、「植物の管理」「授粉」「収穫」を自動化したサービス、の稼働を開始しています[31]。

農業分野では、肥育や水やり、収穫用のロボット、の導入も始まっています。

近づく「ロボットカー」の実用化

自動運転の可能な「クルマ」、もロボットの1つです。

たとえば本田技研工業（ホンダ）は、この技術の開発では、国内最先端を走っています。

自動運転には、国際ガイドラインをもとに、国土交通省の策定したレベルがあります。

・レベル0：今までのクルマの運転形態。ドライバーがすべての運転を実行する。

・レベル1：自動ブレーキや、前のクルマに付いて走る、車線をはみ出さない、などの「運転支援」。

・レベル2：高速道路で、遅いクルマがいれば、ウインカー等を操作し、自動で追い越すな

図5-5　ホンダがレベル3を実現した「レジェンド」　現在は、超高級車だが、ここから得た資金や知見をもとに、そう遠くない時期に一般用のクルマをリリースする、はず。さもないと、自動車製造大国、米中との競争には勝てない（提供）本田技研工業

どの「高度な運転支援」。

・レベル3：特定条件下で、システムがすべての運転を実行するけれど、その継続が難しくなったときにはドライバーが対応する、「特定条件下における自動運転」。

・レベル4：特定の条件下で、システムがすべての運転を実行する、「特定条件下における完全自動運転」。

・レベル5：システムが常時、すべての運転を行う、「完全自動運転」[32]。

ホンダは、21年3月に発売した高級車「レジェンド」（100台限定。1100万円［税込］。図5－5）で、レベル3を実現しました。[33]トヨタ自動車や日産自動車も、自動運転車の開発に注力しています。

米企業は、さらにその先を進んでいます。ゼネラルモーターズの子会社GMクルーズと、アルファベット（グーグルの親会社）傘下のウェイモは、23年8月、米カリフォルニア州の運輸当局から、運転手不要の「ロボタクシー」を、サンフランシスコ市内で終日、一般向けに有料で提供できる許可、を得たことを発表しました。[34]

「ドローン」が山間や離島に荷物を運ぶ近未来

「ドローン」（小型無人機）も、各地で、実用化に向けた試験飛行が始まっています。一環で、日本郵便は23年3月、宅配用ドローンを、目視外で住宅地上空を飛ばす、国内初の「レベル4」の飛行試験を実施しました。荷物を積み、奥多摩郵便局（東京・奥多摩）から、2km強の場所にある住宅まで、高度20～145mを最高時速36kmで飛んだのです。

従来の「レベル3」では、目視外飛行の場合、ドローンを飛ばせるのは、森林や河川、海など、人が住まないエリアの上空に限られていました。しかし今後、レベル4が本格的に始まれば、下に住宅があっても、ドローンが、直線で目的地に向かうことが可能になります。その分、飛行に使うエネルギーの量が減り、航続距離が増えるのです。

日本郵便は、今後も実証実験を続け、23年度以降に実用化を始めたい、としています。[35]

山間《やまあい》や離島などは、個別の荷物をそこに運ぶ負担が、大きなものになりがちです。ドロー

図5－6　SkyDriveの空飛ぶクルマ　今後、これを飛ばすための「空の道」ができるという説もある。できないという意見もある。普及させるためには、航続距離の延伸や、価格の低減、環境負荷の抑制（エネルギー変換効率の向上など）といった、いくつもの課題が残る
（提供）SkyDrive

ンでの配送が普及すれば、その恩恵は小さくないでしょう。

「空飛ぶクルマ」のために「空の道」ができる?

ドローンよりも一回り大きく、人を乗せて飛べるのが「空飛ぶクルマ」です。

その主流になると見られているのが、電動の「eブイトール」（eVTOL）。

垂直に離着陸するため、滑走路は不要。整備された、地上の小さなスペースやビルの屋上などをポート（離着陸場）にすることができます。ヘリコプターが高度300〜数千mくらいを飛ぶのに対して、これは150〜数百m程度の高さを飛行。EV同様、騒音も低く抑えることが可能です。整備のコストも、ヘリコプターより安く抑えられます。

ちなみに日本で、空飛ぶクルマを開発するスカイドライブ（SkyDrive：愛知県豊田市）が製造予定の、同名の機体は、全長・全幅とも13m、ローター（回転翼）を含む高さが3m。

操縦士1名を含め、最大3名が搭乗し、時速100㎞で巡航することができます（図5－6）。ただし、今の航続距離は15㎞。[36] 同距離の、さらなる延伸が必要です。

日本、そして世界で、空飛ぶクルマの開発競争が進んでいます。

トヨタ自動車は20年、米スタートアップのジョビー・アビエーションに出資しました。

国内では、25年に開かれる国際博覧会（大阪・関西万博）で、空飛ぶクルマの運航が行われる予定です。丸紅は、英バーティカル・エアロスペースが開発する5名乗り（操縦士1名を含む）の機体を使用し、会場外のポートと会場内のポートの2か所を結ぶ飛行、を実施する計画を立てています。同社は将来的に、空飛ぶクルマを全国で展開し、2地点間の空輸や、観光地での遊覧飛行、などを実施する可能性があります。[37]

万博の運営主体、2025年日本国際博覧会協会は、空飛ぶクルマの運航事業者として、スカイドライブ、丸紅以外に、ANAホールディングスとジョビー・アビエーション、日本航空の計4団体5社、を選定しています。[38] 各社が、空飛ぶクルマの社会への実装法をテストしようと考えているのです。

この空飛ぶクルマ、起動用のモーターのエネルギー変換効率が向上し、機体の価格が、より安価になり、安全性が担保されるようになった場合、日本と世界の交通事情に、一定程度の、あるいはそれ以上の影響をもたらすかもしれません。将来的に、事故を防ぐため、「空の道」ができるだろう、と予測する関係者もいます。その一方で、エネルギー効率などの点から、普及に懐疑的な人々も存在します。将来性への見通しは割れているのです。

バク宙し、多言語で会話する「ヒト型ロボット」

ロボットの中でも、人々の関心を呼ぶのは、何と言っても「ヒト型ロボット」でしょう。たとえば、ソフトバンクグループが一部出資する米ボストン・ダイナミクスは、二足歩行が可能な「アトラス」を発表しています。これは、もともと米軍の、兵士の支援等の目的で開発されたロボット。高速で走ったり、バク宙したりできます。その技術を、民間部門に応用したのが、アトラスです。「アトラス」「ヒト型ロボット」「動画」で検索すると、その能力の高さを見ることができます。

アトラスは今後、日常生活の中で、荷物を運んだり、警備やつき添い、案内をしたりと、さまざまな場面で人間の作業を担うようになる可能性があります。

これも米企業ですが、エンジニアド・アーツが開発しているヒト型ロボット「アメカ」は、オープンAIのLLM「GPT－3」と、翻訳生成AIのディープLを活用。ヒトと、日本語を含むさまざまな言語で、日常的な会話、あるいは専門性の高い対話、をすることができます（図5－7）。「アメカ」「ヒト型ロボット」「動画」で検索。

図5-7　ヒト型ロボット「Ameca（アメカ）」　人間とのコミュニケーション能力が驚異的。通訳も可能。対話力、表情の豊かさ、ともにヒトに近いレベルになってきている。今後、この能力が向上することで、ヒト型ロボットが、私たちの、欠かせないパートナーとなる可能性が　（提供）Engineered Arts

45万ドルの「宇宙旅行」

日本人、そしてヒトの「生存域の拡張」に向けた取り組みも始まっています。

それが、「宇宙開発」。ここでのキーワードは「競争」です。日本も含めた主要各国を巻き込んだ米中の、さらに民間企業の間での、激しい開発競争が行われています。

その場所は、①「宇宙」とされる、高度100km よりも上の領域（国際航空連盟［FAI］による定義）、の中でも、同2000～1000km の「低軌道」、②同3万6000km付近の「静止軌道」、③月、④火星、⑤木星とその惑星、⑥土星以遠の惑星、など広範囲にわたります。

①「低軌道」（LEO：Low Earth Orbit）では、宇宙ステーションなどが活動しています。日米ロ欧州各国などが参加する「国際宇宙ステーション」（ISS：International Space Station。図5－8）、中国の「天宮」、が運用中です。

図5-8　主要各国が運用するISS　日本もここで、実験棟「きぼう」を運営。無重力の環境下で、医科学のさまざまな研究を行っている　（提供）JAXA

ISSは、50以上のモジュール（建造物）から成り、その最大のものが日本の実験棟「きぼう」です。きぼうは、「船内実験室」「船外実験プラットフォーム」、実験機材などを格納する「船内保管室」、実験や作業で使う「ロボットアーム」、の4つから構成されています。[39]ここでは、骨や筋肉の老化を防止する医療、新たな医薬品開発につながるタンパク質の特性の解明、倒れにくい稲の開発、などといった分野での研究等が行われています。[40]

この領域では、観光用の飛行がすでに始まっています。米企業ですが、ヴァージン・ギャラクティック、ブルーオリジンなどが、民間の富裕層を対象に、宇宙船を打ち上げています。搭乗料金は、ヴァージン社の場合、眼下に広がる地球の姿と、数分間の無重力状態、を体験する数時間のツアーが、1人45万ドル。[41]将来的に、コストが下がり、1人数百万円程度となる可能性、も指摘されています。

②「静止軌道」では、多くの「静止衛星」が運用されています。

静止衛星は、地上から見たとき、止まっているように見えるので、その名がついています。放送衛星や通信衛星、気象衛星の多くが、これに当てはまります。

22年1月時点で、日本国内の宇宙産業の規模は、約1・2兆円。うち、人工衛星と、それを打ち上げる「ロケット」などの、宇宙機器分野が3500億円ほど。放送・通信や気象情報など、衛星から送られるデータを使った分野が8000億円前後です。[42]

危うし、日本のロケット技術

ロケットに関して、日本には大きな難題・課題があります。

図5-9　日本の基幹ロケット「H3」
23年3月の打ち上げ失敗は、日本の宇宙産業にとって、大きな痛手。早期の、原因の詳しい解析と、2号機打ち上げが待たれる
（提供）JAXA

人工衛星などを宇宙空間まで送る、①新型の基幹ロケット「H3」（図5-9）初号機の23年3月の、②小型ロケット「イプシロン」6号機の22年10月の、打ち上げが失敗したのです。③23年7月には、新型小型ロケット「イプシロンS」の第2段モーターの燃焼試験、で爆発が起きています。[43]

H3の打ち上げ失敗の原因は、2段から成るロケットの上部である第2段機体用のエンジン、の電源系統に異常があったことでした。[44] 日本のロケット技術の信頼性に、傷がつきかねません。

H3は、これまで使われてきた「H2A」ロケットの後継機。H2Aとその姉妹機「H2B」は、01年の初飛行から23年9月末までの間に、57回中56回の打ち上げに成功するという、

高い実績を残しています。しかし、その打ち上げコストは、1回100億円程度。[45]米スペースXの基幹ロケット「ファルコン9」の、1回60億円ほど[46]と比較して、高いものになっていました。これに対してJAXA（宇宙航空研究開発機構：Japan Aerospace Exploration Agency）が、三菱重工業と組んで開発を続けてきたのが、1回あたりのコストが約50億円というH3、だったのです。[47]

イプシロンSも、世界の「小型衛星打ち上げ市場《しじょう》」で競争力のある価格とすることを目指し、開発が進められていました。[48]

ロケットの開発には、各国の関連する公的機関や企業が乗り出しています。世界で行われたロケットの打ち上げ回数は、21年141回、22年186回と、増加しています。[49]仏アリアンスペース、米レラティビティ スペース、中国航天科技集団、インド宇宙研究機関、日本のインターステラテクノロジズ（北海道広尾郡）、スペースワン（東京・港）など、主要各国の政府機関や企業が成果を競っているのです。

中でも、スペースXの打ち上げ実績は際立っています。同社は22年に、主力ロケット「ファルコン9」と、その発展型の「ファルコンヘビー」を、合計61回発射しています。[50]

図 5-10　小惑星探査機「はやぶさ 2」
小惑星「リュウグウ」からのサンプルリターンに成功し、JAXA の、そして日本の高い技術力を世界に示した。しかし NASA も、同探査機「オシリス・レックス」によるサンプルリターンを 23 年 9 月に成功させ、日本にひしひしと迫っている　（提供）JAXA

一方、中国のロケット「長征」も、同年に64回打ち上げられています。[51]

これに対し日本では、23年9月末時点で、H3の打ち上げ再開時期の目処《めど》は立っていません。そのため、人工衛星を搭載して発射できる、日本のロケットはH2Aのみ。これも24年度に運用を終了する予定で、今後、同時期までに打ち上げ可能なのは、3基だけです。[52]

23年9月、H2Aの発射が成功しました。ここには、月面着陸を目指す小型探査機「スリム」（SLIM）などが搭載されていて、その分離・放出も実施されています。スリムは、順調に行けば、24年1~2月に月面着陸を実現する予定です。[53]これ自体は、胸躍る試みでしょう。しかし、新型の大型ロケット「H3」、小型ロケット「イプシロン」の発射の実現が、今後の日本の、ロケット開発の根幹の1つであること、は変わりありません。（脱稿後の23年12月、JAXAは、「H3」2号機を24年2月15日に打ち上げる、と発表）。

世界トップレベルの小惑星探査機「はやぶさ2」

他方で、日本は、「小惑星探査機」の開発・運営力では、世界のトップクラスを走っています。代表例が、JAXAの「はやぶさ2」(図5-10)。

H2Aロケットに搭載され、14年に鹿児島県の種子島宇宙センターで打ち上げられ、地球に接近する軌道を持つ「地球近傍《きんぼう》小惑星」の「リュウグウ」に着陸しています。そして、小惑星表面に「衝突《しょうとつ》体」を高速でぶつけました。できた小規模クレーターから、表面の地下物質を回収。20年12月、回収カプセルを地上に放出し、小惑星の「サンプルリターン」を成功させたのです。現在は、別の複数の小惑星の探査に向かっています。[54]

リュウグウ試料は、生命の起源の解明にも関わっています。そこに、水や有機化合物が存在すること、が確かめられたのです。地球では、液体の水があるところには、ほぼ例外なく生命が存在します。どんな深海にも、その中の、超高圧化で数百℃の水が吹き出している「熱水噴出孔《ふんしゅつこう》」の周囲にも、あるいは地表の水たまりにも、無数の命が息づいています。

一方、生命の体を構成する重要な物質が、タンパク質や、その元となるアミノ酸です。

九州大学の奈良岡《ならおか》浩教授らのチームによる23年2月の発表では、リュウグウ試料の中でも直径1㎜以下の「集合体試料」を分析した結果、そこに、①重量比で全体の約21・3％に当たる炭素、窒素、水素、硫黄、熱分解性の酸素、②これらの元素からなる分子量が100〜700の、約2万種類の有機化合物、③20種類のアミノ酸、が含まれていたと言います。

②の、約2万種の有機化合物というのは、非常に多い数です。これまでに地球上で発見された有機化合物は、100万種類強。それと比べても、リュウグウに、かなりの種類の有機化合物が存在していること、がわかります。

また③では、アラニンやグリシン、バリンといった、タンパク質の材料となるアミノ酸が見つかっています。

アミノ酸には、「左手型」「右手型」と呼ばれる構造があります。詳述は省きますが、実験室でアミノ酸を作った場合、両方が1：1の割合で生成されます。一方、地球上の生命体を形作るアミノ酸は、ほぼすべて左手型です。これは、ヒトを含むすべての生命の祖先である原初生命が、左手型だったことに由来している、と考えられています。理由は不明です。

他方、リュウグウ試料のアミノ酸は、左手型、右手型の割合が1：1でした。

そこから、私たちの直接の先祖である最初期の生命体、あるいは今生きる地球上のすべての生物、の体を構成するアミノ酸は、隕石《いんせき》由来ではなく、地球上で、何らかのメカニズムによって生み出された可能性が高い。そう結論づけられるかもしれません。[55]
日本が送り出した小惑星探査機は、こうした議論にも関わっているのです。

千人規模の「月面基地」ができる

１９７２年12月に、「アポロ17号」が月を飛び立って以来、約半世紀が経った現在、「月面」の探査が活発化しつつあります。

代表例が、２０１７年に始動した米国主導の「アルテミス計画」。22年11月16日に、無人の宇宙船「オリオン」とその発射ロケット「ＳＬＳ」（Space Launch System）から成る「アルテミス１」が打ち上げられ、６日間、月を周回して、同年12月11日に帰還しました。

今後はまず、24年に、有人の「アルテミス２」の実施が計画されています。４名のクルーが、月を周回して戻ってくるのです。

さらに25年以降には、「アルテミス３」が予定され、初の女性を含む４名の宇宙飛行士が参加します。この４人の乗り込んだオリオン宇宙船は、先に月周回軌道に入っていた「有人着陸システム」（ＨＬＳ：Human Landing System）とドッキング。男女２名が、ＨＬＳによって、月面に到着し、6日半程度を月面上で過ごして、2回ほどの船外活動を実施する計画です。

これ以降、宇宙飛行士を毎年、月面に送り込む予定となっています。[56]

アルテミス計画には23年9月末時点で、米国の他、日本や英国、インド、豪州、UAE(アラブ首長国連邦)など、計27か国が参加しています。[57]

その延長上に、30年代の「月面基地」の建設・運用があります。40〜50年代には、人員や物資の輸送が増え、千人規模の「月面都市」が誕生する可能性、も出ています。[58]

並行して、有人宇宙ステーション「月軌道プラットフォームゲートウェイ」(LOP《ロップ》-G:Lunar Orbital Platform-Gateway)も、月の周回軌道上に建設される見込みです。米NASA(国家航空宇宙局)はこれに関して、太陽光から得た電力などによって駆動し、クルーの居住区画や科学実験室等を整備して、月面探査車なども格納される、としています。[59]

一方、中国が、宇宙開発に積極的に乗り出していることにも、留意する必要があります。同国は、13年に無人船の月面着陸を実施。19年には、世界に先駆けて、難度の高い「月の裏側」での着陸を成功させました[60]。その技術力は、急速に高まっています。

インドも、23年8月、月着陸船の月面着陸に成功しました。世界で4か国目です[61]。

アイスペースの月面着陸船1号機、は失敗

月面での活動の、将来的な活発化を見越した、民間の動きも始動しています。

日本で、月ビジネスに関心を持っている企業は、100社を超えます[62]。

たとえば、宇宙スタートアップのアイスペース（ispace：東京・港）は、月着陸船を月面に降り立たせるべく、機体を開発しています。

同社は23年4月、民間企業で世界初の月面着陸、を実現するため、着陸船を月面に向けて降下させました。22年12月に、米スペースXのロケット「ファルコン9」に搭載されて打ち上げられ、宇宙空間に到達した後、放出され、自力で月面上空まで到達したのです。

そこには、JAXAが月面活動のために製作した小型ロボットなど、合計約10kgの、7つの荷物が積載されていました。燃料を節約するため、4か月半という長期にわたるルートが選択されています。これは、69年7月に人類が初めて月面に降り立った際の「アポロ11号」の、発射から月着陸までに掛かった4日半、と比べると非常に長い行程でした。

図5-11　清水建設の月面居住用モジュール（想像図） 折りたたんだ状態で運搬し、設置する現地で広げ、運用することが可能。こうした領域では、日本のゼネコンの設計・製造・運用能力の高さが活かされる
（提供）清水建設

しかしその着陸は、失敗に終わります。着陸船のセンサーで得られた情報をもとに算出した地面（月面）の高度が、実際よりも高かったため、着陸船の噴出した燃料が、月面に着く前に枯渇《こかつ》。降下速度を落とし切れないまま、月面に高速で衝突してしまったのです[63]。

とは言えアイスペースは、この経験を活《い》かし、24年以降、2機目の打ち上げを予定しています。そこには、同社が開発した月面探査車を搭載する可能性があります[64]。

清水建設は「月面居住用モジュール」を研究中

日本のゼネコン（大手総合建設企業）各社も、月面活動に向けた研究を進めています。

たとえば、鹿島建設は現在、建設機械の「自律運転」を、ダム現場で実現しています。そこではAIが、建設機械の制御を、工事に関連する諸条件に応じて、最適化しているのです。

そして同社は、この自動化技術を、将来の月や火星の有人拠点を建設するための手法、として活用する研究を進めています[65]。

大林組は、87年の「宇宙開発プロジェクト部」の設立以来、宇宙開発関連の研究を続けてきました。そして19年には、「未来技術創造部」を創設。研究テーマの1つに宇宙開発を掲げたのです。現在、月面にある「レゴリス」と呼ばれる細かな砂、をマイクロ波で加熱し、ブロック状の舗装《ほそう》材を作り出す技術の研究などが行われています[66]。

清水建設は18年に、「フロンティア開発室　宇宙開発部」を発足させました。これは同社が、月面開発にも、本格的に乗り出したことを意味しています。そこでは、たたんだ状態で運搬し、現地で広げて使うことのできる、「月面居住用モジュール」（図5-11）などが研究の対象とされています[67]。

日本政府も内閣府が、17年に「宇宙産業ビジョン２０３０」を策定。21年には「宇宙開発利用加速《かそく》化戦略プログラム」（スターダストプログラム）を開始し、産業界を後押ししています。前者では、国内の宇宙産業市場を、17年の1・2兆円から、30年代早期に倍増させること、を謳《うた》っています[68]。月を始めとする、宇宙開発の本番がスタートしたのです。

図5-12　人工居住施設「ルナグラス」（想像図）　月面に建てられたワイングラス型の巨大な建物が回転し、内部に疑似重力を作り出す。それによって、建物内の人は、地上に近い重力環境で生活できる、と考えられている　（提供）鹿島建設

火星探査のために「人工重力」を作り出す

「火星」も、ヒトの射程圏内に入りつつあります。アルテミス計画では30年代に、ロケットを打ち上げた後、月を中継地点として、火星に着陸させること、を計画しているのです。ただし現状では、問題も山積しています。

その最大の1つが、距離の遠さ。火星は、地球からの距離が、最接近したときでも約5500万km。月との距離の140倍以上です。[69] 現在の技術では、片道で数年掛かると見られています。このためクルーに、メンタル面での問題が起きる危険性もあります。

地上と比べてきわめて強い、致死レベルの「放射線」も、大きな問題です。太陽は、可視光線の他にも、紫外線やX線、電子、陽子などの放射線を出しています。地球と火星を往復したときの放射線の被曝線量は、地球での年間平均量2・4ミリシーベルト、の275倍に当たる約660ミリシーベルト、だとする研究結果も出されています。[70]

微小な「重力」への対応も不可欠です。ヒトは、微小重力下では、足の筋肉が衰えたり、足の骨からカルシウムが溶け出し、尿や便に混じって排出されたりするようになります。すると、骨の量が減少し、骨折の可能性が高くなります。また、尿管の中で、多くのカルシウムが尿に流れ出すと、それらが塊となって、尿管結石《けっせき》を引き起こす可能性があります[71]。

これに関しては、「人工重力」を作り出す研究が行われています。

日本でも22年7月、京都大学と鹿島建設が提携し、①人工重力を使った惑星間交通システム「ヘキサトラック」。②月と火星での生活基盤となる人工重力居住施設「ルナグラス」「マーズグラス」（図5－12）。③宇宙に、微生物などの「微小生態系」を移転するためのコンセプト「コアバイオーム」、の実現に向けた研究を始めることで、合意がなされました。

人工重力は、巨大なワイングラス型の建造物を回転させることで、その内部に、「疑似《ぎじ》重力」（人工的に作り出す重力）を生み出すことができる、と考えられています。そこに居住施設を作れば、地上と同じ1気圧の下で暮らすことができるようになり、その中に、地球の生態系のミニチュア版である「ミニコアバイオーム」を設置することにより、地球上と変わらない生活空間が実現可能となります[72]。

ただし、月や火星の開発に関しては、国際政治上の、あるいは倫理上の観点からの問題も提起されています。たとえば、月や火星の土地や資源などは「取った者勝ち」なのか。米中ロ、あるいは日本も含めた先進国・大国だけ、が独占することは許されないでしょう。しかし実際には、これが現実になりつつあるのです。

ESAと組んで、金星や水星を探査する

「金星」「水星」も探査の対象です。この一環で、JAXAとESA《イーサ》（欧州宇宙機関）は共同し、水星探査計画「ベピコロンボ」を実施。これは、00年から提携が始まったプロジェクト。18年10月に、大気圏を脱出するロケット「アリアン5」が打ち上げられました。

そこには、①水星の電磁場やプラズマ、大気、ダスト（ナノサイズの固体微粒子）の観測をする11の観測装置を組み込んだ、JAXAの水星磁気圏探査機「みお」（MMO：Mercury Magnetospheric Orbiter）、②水星の表面地形や鉱物・化学組成、重力場の計測をする11の観測機器を載せた、ESAの「MPO」（水星表面探査機：Mercury Planetary Orbiter）、が搭載されています。[73]

水星の周回軌道への投入は、25年12月を予定しています。すでに、地球を利用した「スイングバイ」（惑星の重力を使って、宇宙船の航行速度や軌道を変えること。水星への飛行では、減速・軌道変更をする）が20年4月に、金星を利用したスイングバイが20年10月と21年8月に、水星スイングバイが21年10月と22年6月、23年6月に実施されました。今後、水星のスイングバイが、さらに3回予定されています。[74]

21年8月に行われた金星スイングバイでは、金星に最接近し、高度552kmを通過しました。最接近の前後には、モニターカメラで金星の撮影が行われ、みおに搭載された観測装置で、太陽風や金星周辺のプラズマ（高温・高圧下で、原子核と電子が分離しつつ、混合している気体）の状態などについての観測が実施されています。[75]

水星へのスイングバイでは、21年10月には高度199kmに、[76] 22年6月には同198kmに最接近し、[77] 水星の磁気圏や周辺宇宙環境、の観測に成功しました。水星周辺における低エネルギー電子や中性粒子、ダストの詳しい調査は、これが初めてです。[78]

木星の3惑星に「生命」が存在？

地球の外側を回る火星の、さらに外側、「木星」への探査も進んでいます。

そこでの目玉が、ESA主導で、日本や米国、イスラエルなどの研究機関が参加する「JUICE」（木星氷《こおり》衛星探査計画）です。その目的の1つは、木星の3つの衛星に、生命が存在する可能性があるかどうか、を調査することです。

木星には巨大な衛星が4つあります。そのうち、エウロパ、ガニメデ、カリストの3つは、内部に、「液体の水」から成る「海」があること、がわかっています。そのため3衛星にも、生物のいる可能性、が指摘されているのです。

日本には、木星の衛星に生命が存在するか、を探査する技術があります。JUICEの木星探査機には、10種類の観測機器が搭載されています。日本は、そのうち6機器の開発に協力しています[79]。日本の強みの1つは、「テラヘルツ分光《ぶんこう》計」と呼ばれる観測装置。電磁波のテラヘルツ波を使う最先端の機器です。ガスの成分を詳しく調べたり、物質の内部を透視したりすることができます。それによって、惑星や衛星の表面にある物質だけでなく、表面近くの地下に存在する物質やその構造、なども調べることができるのです[80]。

ヒトによる太陽系の探査は現在、さらにその先へと到達しています。

ＮＡＳＡは19年1月、無人探査機「ニューホライズンズ」が、人類の探査史上、もっとも遠い天体の３５００km以内に接近。フライバイと画像撮影に成功した、と発表しました。これは、「ウルティマ・トゥーレ」と名づけられた長さ32kmのピーナツ状の岩石天体。太陽系のもっとも外側を回る惑星である海王星、よりもさらに遠い、「カイパーベルト」と呼ばれる天体の密集地帯にあります[81]。

こうした領域にも、ヒトの手は及びつつあるのです。

第6章 ヒトの「寿命」が拡張する

最新医療

ヒトが生存できる「寿命」の「拡張」が急速に進んでいます。

日本人の死因の上位5つは、第1章で見たように、がん（悪性新生物）、心疾患、老衰、脳血管疾患、肺炎。以上で、死因全体の約3分の2を占めます。ならば、こうした死因を医療技術で解決すれば、日本人、さらにヒトの、寿命と健康寿命が延びていくことにつながります。そして近年、画期的な技術の登場が相次ぎ、その実現可能性が高まっているのです。

AIが、がん細胞を超早期に見つけ出す

本章では、病気・疾患の「診断」「予防」「治療」、の3分野を紹介しましょう。

まずは「診断」から。2つ挙げましょう。1つ目は「画像診断」です。

ここで重要な役割を果たすのがAI。AIは「機械学習」が得意です。大量の画像を入力すると、人が気づかない特徴・法則をも、素早く抽出することができるようになります。

がんは、急速な増殖が始まる前の段階で発見し、手術などで取り除いたりすることで、治

癒できる可能性が高まります。早期に、体内でがん細胞を見つけること、が重要なのです。
この課題に対処すべく、ＡＩによるがんの画像診断技術が、長足の進歩を遂げています。たとえば、大腸のポリープ（腫瘍《しゅよう》。通常の臓器内では見られないような、突き出た、細胞の塊《かたまり》。がん細胞化しない良性と、がん化する悪性、の両方がある）の内視鏡画像から、これが、がんであるかどうかを見分けるＡＩを近年、オリンパスや富士フイルムなどが実用化し、実際の医療現場ですでに活用されています。[1]
日本では、内視鏡写真を分析する「病理医」の、常勤スタッフがいる病院は、７００か所ほどしかありません。しかも、そのうち約３００か所では、病理医が１人しかいません。[2]
そこでＡＩが、多くの画像診断に取り組んでいる病理医のサポートとして、がんの見落としや、誤ってがんだと診断するような事態、を減らす役割を担いつつあるのです。
ＡＩによるがんの画像診断は、生存率が低い膵臓《すいぞう》がん、などでも可能になってきました。
「ナノボット」と呼ばれる分子サイズのロボット、の研究も進められています。
遠くない将来、異常をいち早く見つけるための、体内巡回式のナノボット、が実用化する可能性があります。そうなれば、がん細胞の発生、血管を構成する細胞や脳細胞などの異常、を超早期に発見することが可能になりそうです。

さらにナノボットに、「異常の発見」だけでなく、「治療」の役割も担わせようと、薬剤を運搬・放出したり、異常な細胞を除去したりする機能を持たせるべく、多くの医療関係者が研究を行っています。

少量の血液から、「認知症」の発症を読み解ける？

診断の2つ目。「血液」から「認知症」の兆しを見つけ出す医療技術、が進んでいます。

質量にして、血液のうちの半分強を占める、「血漿《けっしょう》」という液体成分があります。島津製作所は21年、0・6㎖（立方体に直すと、一辺が約0・84㎝）程度の少量の血漿から、アルツハイマー病の原因物質である可能性が指摘されている「アミロイドβ《ベータ》」（40個程度のアミノ酸から構成されるものが多い）という物質、の蓄積《ちくせき》度合いを検出することができる検査機器、を発売しました。

同機器は、血漿にレーザーを当て、それを、電荷を帯びたイオンにします（イオン化）。イオンは、質量などによって運動性が異なるため、アナライザーと呼ばれる機器を使い、分離することができます。これらを専用の検出器に掛ければ、そこにアミロイドβが含まれているかどうか、を測定することができるのです。「質量分析法」という化学分析の手法などが用いられています。[3]

もし、アミロイドβがアルツハイマー病の原因物質ならば、早期にこれを脳内で見つけることで、早めに薬剤を使い始めるなどして、病気の進行を抑えられる可能性が出てきます。

人体の設計図、「ゲノム」に書かれた情報を解読する

次に、病気の「予防」分野。

そこでは、たとえば、一人ひとりの「ヒトゲノム」を解読することで、その人がかかる可能性の高い疾患などを予測する医療、がすでに実用化されています。

ヒトゲノムとは、ヒトの身体を作り出し、ヒトを生存可能にするために、遺伝子に書き込まれた情報全体、を指しています。少し説明しましょう。

ヒトの体のもっとも多くの重量を占めるのは水。成人では体重の6割強が水です。

次に多いのがタンパク質で、体重の20%弱を占めています。タンパク質は、体の中に10万種類以上、存在。脳やその他の神経、内臓、筋肉、血管、骨、皮膚、毛髪などの主要な成分として、あるいは身体の機能を調節するホルモンや酵素、抗体の材料として、使われます。

またタンパク質は、体重の数%を占める「核酸《かくさん》」と呼ばれる物質の生成にも関わっています。核酸は、タンパク質よりもさらに小さな物質の、「DNA」（デオキシリボ核酸）と「RNA」（リボ核酸）の総称です。

タンパク質が、どこに、どういった配置で、どのくらいの量、存在するかは、外見や体質、認知力（記憶力や判断力等）などといった、個人の特徴に大きく影響します。

このタンパク質を、体内で合成するときの指令となるのが「遺伝子」です。遺伝子は、4種類のDNAが、どのように並ぶかで、どんな「アミノ酸」（タンパク質のもととなる物質）を作製するのかをコード（指令）。ヒトの体内では、そのコードに基づいて、アミノ酸が生成されます。

DNAは、物質の名前です。具体的には、A（アデニン）、T（チミン）、G（グアニン）、C（シトシン）という、4つの塩基《えんき》を指します。塩基とは、大雑把《おおざっぱ》に言えば、水に溶けた場合、アルカリ性になる物質のこと。DNAは、すべての細胞の中に存在し、2本の、長いらせん状の線のようにつながった形（2本鎖《さ》）をしています。

DNAは、3つ並ぶと、1種類のアミノ酸をコードします。たとえば、AAAならリジンというアミノ酸が、ATAではイソロイシンが、体内で作られます。人体を構成するアミノ酸は、全部で20種類あります。

ヒトのDNAは、約30億個の塩基が線状に並んで、構成されています。これを「ヒトゲノム」(ゲノムは、DNAのすべての情報、の意)と呼びます。

遺伝子は、どのようなアミノ酸を生成するかだけでなく、生成されたアミノ酸がどのような立体構造で並ぶか、もコードします。

地球が誕生したのは約46億年前。生命が誕生したのは約38億年前。地球誕生からわずか8億年ほどの間に、たった4種類のDNAを使って、複雑なタンパク質をもコード可能な遺伝子の仕組み、が生まれたのです。このメカニズム、不気味なほど、よくできています。

ヒトゲノムは、一人ずつ異なります。ある人のゲノムを解読すれば、その人が発症しやすい疾患、などを予測できます。こうした医療を「遺伝学的検査」と呼びます。

近年、検査を受ける人とその血縁者の、病歴や遺伝情報等などを解析する「発症前診断」。

がんや生活習慣病にかかりやすいかどうか等を診断する「予防医学」、が登場しています。これらはすでに、国立国際医療研究センター病院（東京・新宿）などで実施されています。[4]これによって、自分がかかりやすい疾患などを、あらかじめ知ることができるようになりつつあるのです。そうなれば、生活習慣（食べ物、運動、リラクセーション、睡眠等）を整え、病気の「予防」につなげたりすること、が可能になります。

汎用ワクチン開発に挑むＩＴ企業

「予防」分野、の2つ目。ここでは、ワクチンについて紹介しましょう。

現在、新型コロナのさらなる深刻な変異にそなえて、「汎用性《はんよう》」の高い新たなワクチンの開発が、多くの医薬品メーカーによって行われています。日本でも同様です。

興味深いのはそこに、日本電気（ＮＥＣ）のようなＩＴ企業が加わっていることでしょう。同社はＡＩを使い、新型コロナウイルスを含む「βコロナウイルス」全般に効果が見込める「汎用ｍＲＮＡワクチン」の研究を進めています。ＡＩを用いて、βコロナウイルスが持つ共通のタンパク質の中から、ヒトの免疫反応を起こすものを探し出し、同タンパク質をコードするｍＲＮＡの入ったワクチン、を作ろうとしているのです。

新型コロナウイルスだけでも、そのゲノム（遺伝情報のすべて）の中で、これまでにわかっているRNAの配列、の数は650万個以上。100種類以上のβコロナウイルス全体では、AIを使わなければ、解析できない規模です。NECは、100種類以上の同ウイルスに共通する「アミノ酸の配列」（この場合、RNAが3個並んで、1個のアミノ酸をコードする。このアミノ酸の配列が、タンパク質をコードする）を見つけ出し、ウイルスへの感染・重症化を防ぐ、汎用ワクチンを創り出そうとしています。

同社は、23年度末までに同ワクチンの設計を実現すべく、注力しています。[5]

別の国の医師が、ロボット手術を実行

病気の「治療」でも、新技術が登場しつつあります。たとえば「医療用ロボット」。医療機器メーカーのメディカロイド（兵庫県神戸市）は、手術支援ロボットへのAIの活用、を目指しています。同社は、20年に発売した手術支援ロボット「ヒノトリ」（hinotori：図6－1）の技術を発展させ、AIにより、ロボットが、縫合《ほうごう》など手術の一部プロセスを自律的にできるようにすること、を将来的な目標として掲げています。[6]

さらに、藤田医科大学（愛知県豊明《とよあけ》市）の宇山一朗教授らは、ヒノトリを活用し、ロボッ

図6-1　手術支援ロボット「hinotori」
手術の現場で、医師が直接、執刀せずに、医師の指示通りの動きで、メスを使い、縫合する。藤田医科大学の宇山教授らは、これを超遠隔操作できるようにする研究を進めている
（提供）メディカロイド

トアームを、別の国・地域にいる外科医が操作できるシステム、の研究・開発を進めています。この遠隔操作の実験は、国内では23年4月に、東京・名古屋間（約３００㎞）で実施し、成功。[7]さらに同年10月には、日本（豊明市）・シンガポール間（５０００㎞強）での実証実験にも成功しています。[8]

近年、医師が世界的に不足しています。その数は、19年時点で約６４０万人。[9]日本でも、大都市部を除けば、医師の足りない地域が目立ちます。医師＋ロボット、あるいはＡＩ＋ロボット、による手術の半自動化・自動化は、とても期待される技術です。

がん制圧のための新たな放射線・超音波治療

「治療」の革新的技術について。次は「がん」の制圧に向けた動きを見てみましょう。

がんは、国内で1年間に約１００万人が罹患《りかん》します。大半が65歳以上の高齢者ですが、20～64歳の働き盛りの人々も4分の1ほどいます。そして、仕事を持つがん患者の、約5割が

休業や休職を、約2割が退職・廃業を、余儀なくされています。[10]

がんに対しては従来、①手術、②放射線、③抗がん剤、の3つが「標準治療」だとされてきました。しかしこれらは、後期の患者を救うことの難しいケースが多かったり、②③では、正常な細胞にもダメージが及ぶため、脱毛や吐き気、脱力感など、ひどい副作用に悩まされる人も多数出たり、と課題もたくさんありました。

これに対処するため、放射線治療の技術に、改良が重ねられています。

近年、新世代の放射線治療として、「陽子線治療」「重粒子線治療」を代表とする「粒子線治療」が実用化され始めています。陽子（水素の原子核）や重粒子（この場合は、重粒子の中の炭素イオン）のビームを、がん細胞に当てる治療法です。

従来のX線治療では、放射線の量が、体内を進むにつれて減ってしまいます。一方、陽子や重粒子を使った治療では、それらが体内のがん細胞に届くときに、もっとも多くエネルギーを放射するよう、設計することができます。このため、少ない放射量で、がん細胞を死滅させることが可能です。手術で根治ができない複数のがんで、保険適用が認められています。

23年9月末時点では、陽子線治療施設が18、炭素イオンを使う重粒子線治療施設が6、両方を実施できる施設が1、の合計25施設で、粒子線治療が実施されています。[11]

放射線ではなく、「超音波」を使って、がんを治療する研究も進んでいます。

スタートアップのソニア・セラピューティクス（東京・新宿）は22年10月、手術できない膵臓《すいぞう》がんの患者90人を対象に、超音波を一点に集めて照射する「集束《しゅうそく》超音波」、を使った「治験《ちけん》」（厚労省の認可のために実施される、人への臨床《りんしょう》試験）を始めました。同社は、治験がうまく進めば、25年にも厚労省に製造・販売の承認を申請。26年の販売開始を目指す、としています。

集束超音波の技術は、各国の大学や医療機器メーカーなどが、乳がんや肝臓がん、腎臓がん、前立腺がん、骨転移《こつ》、などを対象に研究を続けています。[12]

体内の「T細胞」を強化する

一部のがんを対象に、がん治療の「免疫療法《めんえき》」、の健康保険の適用が始まりました。

これは、体の免疫の力を活用する治療法。ヒトの体内には、有害な細菌やウイルスなどが侵入してきたときにそれを攻撃する、「免疫細胞」と呼ばれる複数種の細胞が存在します。

この免疫細胞の一種に「白血球」があり、その一種に「リンパ球」があって、さらにその一種に、がんを攻撃する「T細胞」(Tリンパ球)があります。近年、研究が進み、T細胞の攻撃力の低下を抑えたり、攻撃力を強化したりする技術、が発展し、がんの抑制効果が認められつつあります。たとえばそれが、「チェックポイント阻《そ》害《がい》薬」です。

一般にがん細胞は、T細胞に結合し、がんへの攻撃をやめるよう指令します。そのため、がん細胞に結合されたT細胞は、がん細胞を攻撃しなくなってしまいます。がん細胞が起こすこの作用を、「免疫チェックポイント」と呼びます。同薬は、これが起きないようT細胞やがん細胞に指令し、T細胞は、がん細胞への攻撃が可能になります。

胃がん、腎《じん》細胞がん、頭頸部《とうけいぶ》がん、メラノーマ(悪性黒色腫《こくしょくしゅ》)、ホジキンリンパ腫、その他のがんの治療で、健康保険が適用されています[13]。

「ゲノム編集」で免疫細胞を長生きさせる

免疫細胞の攻撃力を強める技術、も開発が進んでいます。

その代表例が「CAR《カー》-T細胞療法」(CARは、キメラ抗原《こうげん》受容体。この場合のキメラは、異なる起源を持つ複数の遺伝子から構成されている、の意)です。

これは、がん患者の血液（の中の白血球の中のリンパ球）の中からT細胞を取り出し、そこに、がん細胞を認識する遺伝子と、がん細胞を攻撃する遺伝子、を導入。それによって、「CAR−T細胞」を作製し、患者に注射で投与する治療法です。CAR−T細胞は、特定のがん細胞を認識し、攻撃する性質があります。

「治験」で一定の効果が認められたため、19年に白血病、悪性リンパ腫という2種類の血液がんに対して、22年に多発性骨髄腫《こつずいしゅ》に対して、治療の認可が下りました。ただし、患者に再発の可能性が残ること。臓器などにできる固形のがん細胞には、効果がほとんど見込めないこと[14]。患者自身の細胞からCAR−T細胞を作るため、1回の治療に3000万円ほどの費用が必要なこと[15]、といった課題もあります。

このため、次世代のCAR−T細胞療法の研究・開発が進められています。愛知県がんセンター（名古屋市）の籠谷《かごや》勇紀氏（現・慶應義塾大学教授）らのグループは、CAR−T細胞の中にある「PRDM1」（遺伝子の名称は、横組みで表示。以下同）という遺伝子を取り除き、CAR−T細胞が体内で長期間、生存できるよう改変すること、に成功しています。

一般にCAR−T細胞は、人体の中で細胞分裂・増殖のできる回数が、ほぼ決まっています。この回数に近づくと、CAR-T細胞の、がんへの攻撃力が弱まってしまうのです。

一方、PRDM1には、(CAR-T細胞を含む)T細胞の性質に影響を与える働きがあり、その細胞が分裂できる回数、つまり細胞の寿命、に関わっていると見られてきた遺伝子です。

そこで同氏らは、健常者の血液中から取り出したCAR-T細胞から、PRDM1を、「クリスパー・キャス9《ナイン》」と呼ばれる技術を使い、切り取って取り除きました。

クリスパー・キャス9は、①DNAを切断する機能を持つ人工の酵素「キャス9」と、②このキャス9を、切り取りたいDNAの配列まで導くRNAである「ガイドRNA」、を組み合わせた技術。標的とするDNAを、正確に狙って切り取ることが可能です。開発に関わった2名の研究者、エマニュエル・シャルパンティエ氏とジェニファー・ダウドナ氏は、2020年のノーベル化学賞を共同受賞しています。

この技術は、遺伝子を標的にして行われるため、「ゲノム編集」と呼ばれています。

そして、PRDM1を除去したCAR-T細胞を、がん細胞を体内に移植したマウスに投与すると、通常のCAR-T細胞と比較して、マウスの体内でより長く生き残り、がん細胞の再発をより長期間にわたって抑えることができました。

さらに、ヒトにおいても、肺がんや卵巣がん、子宮がんなどの患者の体内にある、がん細胞中のT細胞において、その遺伝子中のPRDM1を除去すると、T細胞が、体内で長期間生存できるようになること、がわかりました。同技術は数年以内に、実際の医療現場で使われる可能性があります。[16]

このPRDM1のように、遺伝子の働きを広範囲に変化させることで、細胞の性質に深く関与する遺伝子は、「エピジェネティック因子《いんし》」と呼ばれ、注目されています。

また、京都大学の金子新《しん》教授らは、①iPS細胞から効率的に、CAR－T細胞を作製できる手法を開発し、②CAR－T細胞から、酵素の「DGKα《アルファ》」「DGKζ《ゼータ》」を除去したり、③CAR－T細胞に、「IL15/IL15RA」という人工的に合成した遺伝子、を導入したりすることで、CAR－T細胞の、がん細胞内でのより長期間の生存、を可能にしました。[17]

CAR－T細胞1つを取ってみても、こうした研究が成果を上げつつあるのです。

治療薬の設計にAIが使われる

がん細胞を攻撃する新薬の開発も、成果を上げつつあります。まずは「低分子薬」から。

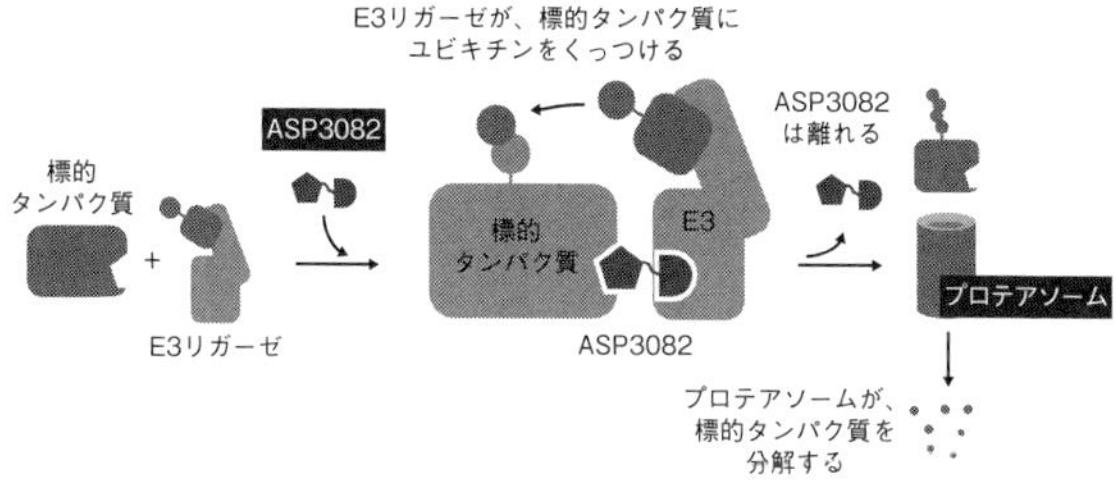

図6-2　タンパク質分解誘導薬が、がん細胞の分解を引き起こす仕組み　治療薬「ASP3082」は、細胞内で、①がん化した標的タンパク質（これを制圧する）と、E3リガーゼを近接させる。②すると、E3リガーゼは、標的たんぱく質にユビキチンをくっつける。③プロテアソームが、ユビキチンに引き寄せられ、そこで、ユビキチンのくっついた標的タンパク質を見つけ、これを分解する　（出典）アステラス製薬ウェブサイト

これは、「低分子化合物」をもとに作る医薬品。低分子化合物は一般に、分子量が1万以下のものを指します。それを超えるものは、「高分子化合物」と呼ばれます。

低分子薬の1つが、「タンパク質分解誘導薬」。アステラス製薬が開発を進めている治療薬「ASP3082」は、①がん化した細胞のタンパク質（標的タンパク質）にくっつく物質。②「E3リガーゼ」という酵素にくっつく物質。③この両者を結合する「リンカー」と呼ばれる物質、から成ります。

同薬は、投与されると、①②の働きによって細胞内で、（がん化した）標的タンパク質とE3リガーゼを、近接《きんせつ》（ごく近づける）させます。するとE3リガーゼは、「プロテアソーム」と呼ばれる「タンパ

ク質分解酵素」が、がん細胞を見つける際に目印とする、「ユビキチン」という物質、を標的タンパク質にくっつけます。その結果、プロテアソームが、ユビキチンのくっついた標的タンパク質を見つけ、分解するのです（図6－2）[18]。

前述のチェックポイント阻害薬は、がん細胞の中でも、治療薬が結合できる「ポケット」と呼ばれる部分、が深いものだけでした。このため、同薬の効果が期待できるのは、がん全体の2割ほどでした。一方、アステラス社が開発中の治療薬は、浅いポケットにも結合できるので、理論上はすべてのがんに治療効果がある、とされています。23年9月末時点で、治験が進行中。数年以内に発売される可能性もあります[19]。

興味深いのは、同社の薬剤設計にＡＩが使われたところです。

そこでは、①多数の論文等をもとに、医薬品の候補となる分子を検索。②薬剤が体内に入ってから排出されるまでの過程である「薬物動態」を予測。③がん細胞とその周辺の画像解析から薬効や安全性を評価、する際などにおいて、ＡＩが活用されています[20]。

ＤＮＡを人工合成。「核酸医薬」

近年、ＤＮＡやＲＮＡを利用した「核酸医薬《かくさん》」の研究も進んでいます。

核酸医薬の近年の事例では、東京大学の岡本晃充《あきみつ》教授らのグループが、がん細胞を殺す免疫細胞、を活性化させたりするＤＮＡ、の人工合成に成功しています。これは、「化学合成短鎖《たんさ》へアピン核酸対《つい》」（ｏＨＰｓ）と呼ばれる、50個ほどの塩基から成るＤＮＡです。

がん細胞は、臓器の中で増殖する際に、「マイクロＲＮＡ」の一種、をたくさん生成します。マイクロＲＮＡとは、塩基が21～25個程度、ＤＮＡのような2本（2本鎖《さ》）ではなく、1本並んだもの（1本鎖）、を指しています。

岡本氏らは研究の中で、miR-21というマイクロＲＮＡを大量に生成しているがん細胞、の存在する臓器に、ｏＨＰｓを投与すると、ｏＨＰｓががん細胞内に入り込み、miR-21を中心に多数集まって集合体を作る、という現象を発見しました。

ｏＨＰｓの集合体は、「Ｉ型《いち》インターフェロン」と呼ばれるたんぱく質の発現を誘導する特性があります。これが、免疫細胞の一種でがん細胞を攻撃する「ナチュラルキラー細胞」（ＮＫ細胞）、を活性化したり、がん細胞ではない細胞をＮＫ細胞の攻撃から守ったりすることで、最終的に、がん細胞だけを選択的に（選んで）殺したのです。

マウスを使った実験では、子宮頸《けい》がん、乳がん（の一種）や、メラノーマで、がん細胞の増殖を抑制する効果が、一定程度認められました。

これまでの、人工ＤＮＡを使った核酸医薬では、がん細胞だけを標的にすることができませんでした。結果、正常な他の細胞も傷つけ、全身への副作用が起きてしまう、という欠点があったのです。しかし、岡本氏らの研究によって、がん細胞のみを殺す効果の見込める、人工ＤＮＡを開発する糸口が見えてきました。同氏らは22年4月に、スタートアップの東京核酸合成（東京・文京）を設立。治験を数年中に始めること、を目指しています。[21]

がんの「幹細胞」を攻撃する

土の中の微生物が作る化合物の一種に、強い抗がん作用があること、が発見されています。

これを利用し、抗がん剤の製造に応用すべく研究が進んでいます。

京都大学大学院の掛谷《かけや》秀昭教授らが見つけたのは、「レノレマイシン」という物質です。

がんには、「再発」と呼ばれる問題があります。治療によって、がん細胞をいったん消失させても、わずかに残ったがん細胞が、その後で再び増殖を開始するケースがしばしば見られるのです。近年、その一因として、「がん幹《かん》細胞」に注目が集まっています。がん幹細胞は、自己複製の能力と、多様な種類のがん細胞へと分化する能力をあわせ持ち、がん細胞が増えた状態である「腫瘍《しゅよう》」を形成する能力が非常に高い、という性質を持っています。

掛谷氏らが、微生物の作る約600種類の化合物を、ヒトの大腸がんの細胞から培養したがん幹細胞、に加えてみたところ、レノレマイシンがこれをよく死滅させました。効果は従来、がん幹細胞の死滅効果が知られていたサリノマイシンという化合物の10倍以上。レノレマイシンが細胞内で、細胞を殺す効果の高い「活性酸素」の産生、を誘導したのです。

この、細胞を殺す効果は、「α-トコフェロール」という抗酸化剤を用いることで、がん細胞以外《いがい》の細胞を殺すほど、「活性酸素」が過剰にならないようコントロールできる可能性、があります。レノレマイシンは、化学合成によって量産が可能です。掛谷氏らは今後、5～10年以内の治験開始を目指しています。[22]

がん細胞に「光」を照射

がん治療法の新たな手法とされる、「光《ひかり》免疫療法」も登場しています。

これは、がん細胞に結合するタンパク質と、光を照射すると活性化する「光感受性《かんじゅせい》物質」、を接合した薬剤を使用する医療法です。楽天メディカルが、頭頸部《とうけいぶ》がんを対象に、条件つき承認を得て、薬剤を21年1月に発売しています。

患者に、この薬剤を点滴で投与し、1日ほどしてから、腫瘍にレーザー光を当てます。すると体内で、がん細胞と結びついた光感受性物質が活性化し、がん細胞を死滅させます。

同社は23年8月、腫瘍が、肝臓に転移したがん患者、に対する治験も始めました。[23]

米FDAから承認されたレカネマブ

ここからは、「認知症」の制圧、に向けた取り組みを紹介しましょう。
国内では、認知症の罹《り》患《かん》者が、20年に約600万人。25年には約700万人に増加する、と予測されています。700万人は、日本人の約17人に1人。65歳以上の高齢者の場合、認知症を抱えているのは、約5人に1人です。[24] 世界では23年9月時点で、認知症の患者が5000万人以上います。[25] 認知症の6~7割が「アルツハイマー病」です。[26]
近年、このアルツハイマー病の進行を抑えるための医薬品、の開発が進んでいます。
たとえば、エーザイと米バイオジェンの開発した新薬「レカネマブ」（図6－3）は23年7

月、米FDA（食品医薬品局）によって、正式承認されました。認知症に対して一定の効果がある可能性、が認められたのです。日本でも同年9月、厚労省が正式承認をしました。

実はアルツハイマー病の原因、まだはっきりしていません。しかし、有力な説もあります。その1つが、レカネマブが、その薬効の根拠とする「アミロイドβ《ベータ》仮説」です。

「アミロイドβ」はタンパク質の一種。脳内で産生された場合、通常なら、老廃物としてすぐに分解・排出されます。しかし、アルツハイマー病患者の脳内では、分解が進まないこともあります。その場合、病気の進行に伴って、アミロイドβが、①思考や判断、感情などで重要な役割を担う「大脳皮質」、②記憶や学習などに深く関係している「海馬《かいば》」、などの細胞（神経細胞）の外側に、凝集《ぎょうしゅう》（集まって塊になる）します。

「アミロイドβ仮説」は、このアミロイドβの凝集が、「老人斑《はん》」と呼ばれるタンパク質の塊を形成することで、神経細胞の機能を阻害し、神経

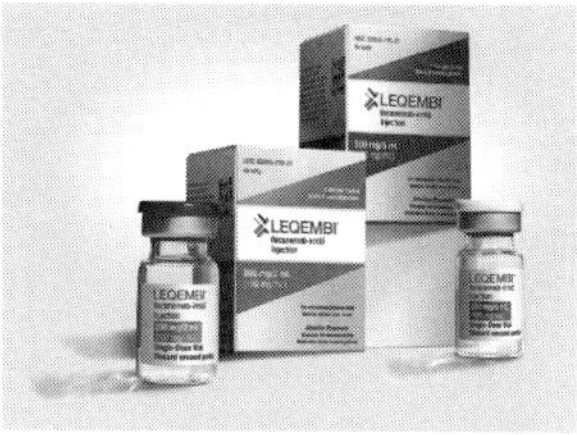

図6-3　世界の医療関係者が注視する「レカネマブ」　アミロイドβ仮説にもとづいて製造されたアルツハイマー病用医薬品。軽度認知障害、軽度認知症の人の、症状の進行を27%抑えるとして、日本政府も23年9月に認可。しかし、その効果の評価や副作用などをめぐっては、多くの議論がなされている　（提供）エーザイ

細胞の死を引き起こす、と主張しているのです。

レカネマブは、同仮説をもとに、脳内のアミロイドβを除去すれば、アルツハイマー病の進行が抑えられるだろう、として開発が進められた医薬品です。同薬は、脳内に存在するアミロイドβの一部（より正確には、細長く繊維《せんい》化する前の、「プロトフィブリル」と呼ばれる状態のアミロイドβ）に結合し、このプロトフィブリルを取り除きます（無害化）。

レカネマブと結合したプロトフィブリル（正確には、両者の複合体）は、脳内の免疫細胞によって、老廃物として認識され、分解されるのです。

レカネマブは、治験の最終段階（第3相）で、①同薬を投与した８９８人の「レカネマブ投与群」。②同薬ではなく、生理食塩水を投与した８９７人の「プラセボ投与群」、から成る１７９５人を対象に、18か月の試験を実施。結果、①では、②と比較して、認知症の重症度を評価する「ＣＤＲ－ＳＢスコア」と呼ばれる指標、の低下が27％抑えられたのです。

具体的には、0～18の段階に分かれる同スコアで、プラセボ投与群、つまり何も処置をしない状態、における低下が１・66ポイントだったのに対して、レカネマブ投与群ではそれが１・21ポイントでした。０・45ポイント、低下を抑えたのです。０・45÷１・66の計算から、約27%の低下抑制効果があったこと、がわかりました。また、この数字からは、18か月で、5・3か月ほど進行を抑える可能性、が示唆《しさ》されています。[27]

患者の負担が大きく、副作用が深刻な同薬

しかしレカネマブの投与には、一部の医療関係者から、懐疑的な声も上がっています。

それは、①効果の小ささ。②投与対象者の少なさ。③投与にともなう患者や家族の負担の大きさ。④副作用の深刻さ。⑤「アミロイドβ仮説」が正しいのかという疑問、からです。

まず①。米FDAや厚労省が正式承認したことは、一定程度の効果があること、が認められたことを意味します。一方で、アルツハイマー病の進行を、18段階の中で0・45ポイント抑えたことに対し、米ピッツバーグ大学のカール・ヘラップ教授は、著書の中で、「生物学的にはほとんど実質のない差」だと述べています。[28]同じことを語る研究者は、他にもいます。

②臨床試験で、同薬の効果があるとされたのは、「軽度認知障害」(認知症の疑いがあるレベル)、「軽度認知症」と診断された人だけ。[29]より症状の進んだ「中等度」「重度」、の認知症患者は、治験の対象になっていません。そして、「軽度」の人は、症状がはっきり出ない人、認知症だとの自覚がない人も多く、発見が難しいという特徴があります。

そのため、投与を受ける人の数、は限られると見られています。実際、東京大学の岩坪威《たけし》教授は23年9月、日経に対し、日本で同薬が承認された場合（注：同月に承認されている）、当初の数年間は、投与を受ける人の数が、1年間に1万人、あるいは数万人以内だろう、と述べています。[30]

③レカネマブは、1か月に2回、1回につき約1時間の点滴、で投与します。[31] このため、多くを高齢者が占める患者、そして治療に同行する家族には、大きな負担となります。さらに、18か月の投与期間を終えた後に、投与をやめると、アルツハイマー病の進行速度が元に戻ってしまいます。[32] 進行速度を抑えるには、18か月の投与後も点滴を続ける必要があります。

これに対してエーザイは、1か月に2回の投与を一定程度続け、症状の進行を遅らせる効果が出た段階で、点滴の頻度を、1か月に1回に移行できるようにする研究を進めています。同社は、23年度中に米国での承認申請を目指しています。さらに、患者が自宅で、自分に1分弱で投与できる皮下注射型の開発も行っています。[33]

④副作用としては、脳浮腫《ふしゅ》・浸出《しんしゅつ》（浮腫は、脳組織に水が過剰にたまって脳が膨張《ぼうちょう》すること。

浸出は、脳を包む硬膜《こうまく》が破れて、脳脊髄《せきずい》液が外に漏れ出すこと）が12・6％（プラセボ投与群では1・7％）。脳の微小出血などが17・3％（同9・0％）、の人に現れました。

これは、血管や硬膜などに張りついたアミロイドβを除去することで、血管等を破ってしまうことが原因ではないか、と考えられています。

試験期間の18か月、よりも後に実施された、レカネマブの「フォローアップ試験」では、3人の死亡が確認されています。エーザイによれば、そのうちの2人には、レカネマブ以外の原因があった、と言います[34]。

しかし、米『サイエンス』によれば、もう1人である79歳の女性には、アルツハイマー病以外の明らかな健康上の問題は、ありませんでした。彼女は、フォローアップ試験の最初の点滴を投与された後、疲れを訴え、2日間、ベッドから起き上がることが、ほぼできなくなったのです。そして数週間後、2回目の点滴を投与された後に、激しい頭痛が起きて入院。そこで命を失いました。女性の脳内をスキャンしたところ、脳出血と脳の腫れが数十か所で確認され、大脳皮質のひだが、かなりの部分でくっつき、押しつぶされたようになっていたのです。

このケースを調べた、ヴァンダービルト大学の神経内科医、マシュー・S. シュラグ助教は、同誌に対し、「これは、レカネマブの副作用だと確信している」と述べています。[35]

「アミロイドβ仮説」を疑う科学者

⑤アミロイドβ仮説に対しては、別の原因があり、それが、認知症の発症・深刻化と、アミロイドβの発現の、両方を引き起こしている。脳内からアミロイドβを取り除いても、認知症の発症や深刻化を食い止めることはできない、とする意見もあります。

たとえば、ワシントン大学のジェイソン・D．ウルリッヒ准教授らは、21年8月に発表した論文の中で、脳と脊髄《せきずい》から成る「中枢神経」の免疫などに関わる「ミクログリア」と、それに指令を発する「TREM2《トレム》」という遺伝子、の役割について言及しています。[36]

そして同氏らは、別の論文の中で、①ミクログリアが、アルツハイマー病の「発症前」と、おそらく「発症初期」においては、病気の進行を抑えている。一方、②アルツハイマー病の「後期」においては、ミクログリアが、ニューロン（脳の神経細胞）の減少を後押ししている、と述べています。[37] ウルリッヒ氏らは、現在に至るまで一貫して、ミクログリアとTREM2に関する研究を続けています（ただし同氏は、私の複数回の取材要請に無回答）。

アルツハイマー病の研究では今、ミクログリアやTREM2なども注目されています。

以上のことから、レカネマブの臨床試験の結果は、これだけをもって、「アミロイドβ仮説」が正しい、と結論づけることはできない、のかもしれません。そして同薬には、深刻な副作用の出る可能性があること、は押さえておく必要があります。

とは言え、これは、認知症の治療法確立までの第一歩。日経は、エーザイが、TREM2を活性化する、アルツハイマー病の新たな治療薬の治験、を24年にも始める予定だと報じています。[38]エーザイは、私が、この報道が正しいのかどうか、尋ねたところ、肯定も否定もしませんでした。[39]

「血液脳関門」を突破して、脳内に薬剤を送り込む

脳血管には、「血液脳関門《のうかんもん》」と呼ばれるフィルターがあります。

脳はきわめて重要な臓器です。そのため、脳の血管の内壁には、脳内に有害な物質が入らないよう、特別な分子輸送機構を備えた細胞がびっしりと並んでいます。この細胞群は、酸素やブドウ糖などの分子を通す一方で、血中のタンパク質、特定のイオン、免疫細胞、病原体などをブロックする性質を持っています。[40]

これによって、従来は、認知症を始めとする脳の病気の治療薬を、脳内にうまく届けることが難しかったのです。実際、前述のレカネマブも、血管脳関門を通過して脳内に入ることができるのは、投与したうちの0・5%未満でした[41]。

他方、脳に必要な物質なら、アミノ酸が2～49個つながった「ペプチド」や、同50個以上結合した「タンパク質」であっても、血液脳関門にある輸送システムを通して輸送されること、がわかってきました。近年、脳関門のこの性質を使い、医薬品を脳内に届けるための研究成果が、複数の医療機関から出ています。

たとえば、東京医科歯科大学大学院の横田隆徳《たかのり》教授らの研究グループ。彼らが使ったのが、脳細胞が活動のためのエネルギー源とするブドウ糖、を脳内に送り込む「ブドウ糖輸《ゆ》送体《そうたい》高分子」。アミロイドβに結合して攻撃する「部分抗体」（抗体の一部で、アミロイドβに結合する部分）を人工的に合成し、それをブドウ糖輸送体高分子に特殊合成したのです。

23年1月に発表された研究結果では、この薬剤を、マウスに10週間、尾から投与したところ、ブドウ糖に包んでいない薬剤を投与した場合の約80倍、脳内に入り込むことが確認された、と言います。脳関門を、それだけ多く、通過したのです。結果、脳内に沈着したアミロイドβの量が減り、長期記憶もより長く維持されました。[42] この技術も、近い将来、さまざまな脳疾患を治療する薬剤を、脳内に届けるべく、使われることが期待されています。

「脳オルガノイド」を作り出し、認知症のメカニズムに迫る

「ヒト脳オルガノイド」と呼ばれる、直径1〜2㎜の「細胞塊《かい》」を作り、認知症のメカニズムの解明や、治療薬の開発に役立てようとする研究、も実施されています。

これは、iPS細胞やES細胞などの「幹細胞」、から培養した、脳細胞の小さな集まり、を指します。大脳や小脳、海馬などの領域、を形成することもできます。

ちなみに、大雑把《おおざっぱ》な説明ですが、大脳は、体の内外から来る情報を受け取って、それを認識・分析し、体の各器官に指令を出す部位です。小脳は、おもに運動の制御をしています。海馬は、短期の記憶を司《つかさど》っている、と考えられています。

慶應義塾大学の岡野栄之《ひでゆき》教授らは、アルツハイマー病患者のiPS細胞を使い、試験管の中で、立体構造の脳オルガノイドを、効率的に作り出すことに成功しました。

岡野氏らはまず、iPS細胞を増殖・分化させる際、培養液の中にある「FGF2」（塩基

性線維《せんい》芽《が》細胞増殖因子）というタンパク質の濃度を10分の1程度にすると、脳オルガノイドの前段階に当たる「胚葉体《はいようたい》」、を効率的に作製できること。さらにそこから、後々《のちのち》、神経細胞（ニューロン）などの中枢神経系（脊髄《せきずい》、網膜を含む）に分化する「神経上皮《じょうひ》構造」、が通常よりも多くできること、を発見しました。

そして、これを培養すると、①「ニューロン」。②ニューロンへの栄養供給や、血液脳関門の形成、神経伝達の補助等の役割を担う「アストロサイト」。③ニューロン間での電気信号の伝達速度を速める「オリゴデンドロサイト」、といった脳を構成するさまざまな細胞、を含む「脳オルガノイド」、を作製することができたのです。

さらに、④細胞に感染して、そこに、目的とする遺伝子を導入することができる、「アデノ随伴《ずいはん》ウイルス」と呼ばれる「ウイルスベクター」（ベクターは、運び屋）を使って、脳オルガノイドに特定の遺伝子を入れ込み、⑤脳オルガノイドに、通常とは異なる遺伝子変異を持った「タウタンパク質」、を多く発現するようにすると、結果的に、⑥脳オルガノイドに、タウタンパク質が凝集《ぎょうしゅう》（集まって固まる）し、蓄積した様子が見られました。

要するに、脳オルガノイドで、アルツハイマー病患者に特有の症状の再現、が可能になったのです。[43]

こうした研究成果によって、アルツハイマー病など認知症の「発症メカニズム」や「治療法」が明らかになり、制圧が可能になる時代、が射程内に入りつつあるように見えます。

手や足を「再生」させる技術

事故などで失った手足が「再生」する。そんな未来も近づいています。

これは、手や足などを、試験管の中ではなく、人体内で再生させる「ダイレクト・リプログラミング」と呼ばれる治療法です。

たとえば、東京大学の栗田昌和講師を始めとする研究チームは、皮膚や脂肪、筋肉などの隙間《すきま》に存在し、コラーゲンやヒアルロン酸等を作り出す「間葉系《かんようけい》細胞」という細胞に着目しています。同細胞に、複数種の遺伝子を導入することで、それが手や足のもととなる細胞へと換わっていく。結果、失った手や足が、文字通り生えてくる可能性がある、と考えているのです。

栗田氏らは21年から、マウスを対象に、手足の再生の実験に取り組んでいます。すでに、8種類の遺伝子を導入することで、失われた骨や軟骨などが、分岐《ぶんき》（枝分かれ）しながら伸びていくことが確認されました。今は、神経や筋肉等も組織立って再生させるために、より優れた遺伝子の組み合わせを探索しています。[44]

老化予防に食べ物がよいのは知ってるけれど……

「老化」は、ヒトにとって大きな問題です。

今、この分野で脚光が当たっているものの1つが、「食べ物」です。

昔から、健康によいとされてきた食べ物はたくさんあります。今さら食べ物？　しかし近年、新たな知見も生まれつつあります。そこで注目されているのが、「マイクロバイオーム」（微生物叢《そう》）と呼ばれる、ヒトの腸内で生きている、38兆個ともされる微生物群です。

ロンドン大学のティム・スペクター教授によれば、体細胞の設計を担う「遺伝子」が、死亡年齢（寿命）に及ぼす影響は25％程度でしかない。より大きな影響を及ぼすのは、①食事、②食事などによって形成されるマイクロバイオーム、③運動や睡眠、休息などの生活習慣、等だと言います。他の多くの研究で、同様の結果が示されています。[45]

マイクロバイオームの働きは、少しずつ解明されつつあります。

たとえば微生物は、化学物質を血流中に放出することで、脳の「記憶機能」や、「気分」に影響を与えています。体を安静時の状態にする「副交感神経」、などに信号を送ることも知られています。さらに、信号を、脳ではなく、「腸管《ちょうかん》神経系」と呼ばれる腸内の神経ネットワークに直接送り、腸の運動や、消化液などの分泌に影響を及ぼすこともあります。[46]

「オートファジー」を維持して、老化を食い止める

遺伝子レベルで、多様な医療研究が進んでいます。

その1つ、「抗老学」という医療分野について見ていきましょう。

まずは、「オートファジー」と呼ばれる現象から。これは、細胞内で、①「隔離膜《かくり》」という構造が形成され、②それが、細胞の中のさまざまなタンパク質などを包み込み、③消化酵素と結びついて、④包み込んだものをごっそりと、数十分の間に分解。⑤そこから、タンパク質のもととなるアミノ酸等を生み出す、という一連の働きを指しています（図6－4）。

体内でオートファジーが起きるのは、①飢餓《きが》状態になったときに、細胞の中身を分解して、栄養源にする。②細胞の新陳代謝を行う。③細胞の中の有害物を除去する、ためです。

①は、赤ちゃんが生まれてから、お母さんのおっぱいを吸うまでの間に起こります。このとき、赤ちゃんは飢餓状態に陥ります。そこで、オートファジーが起きて栄養を作り出すのです。②は、古いタンパク質を分解することで、細胞の若さを保つ働きです。

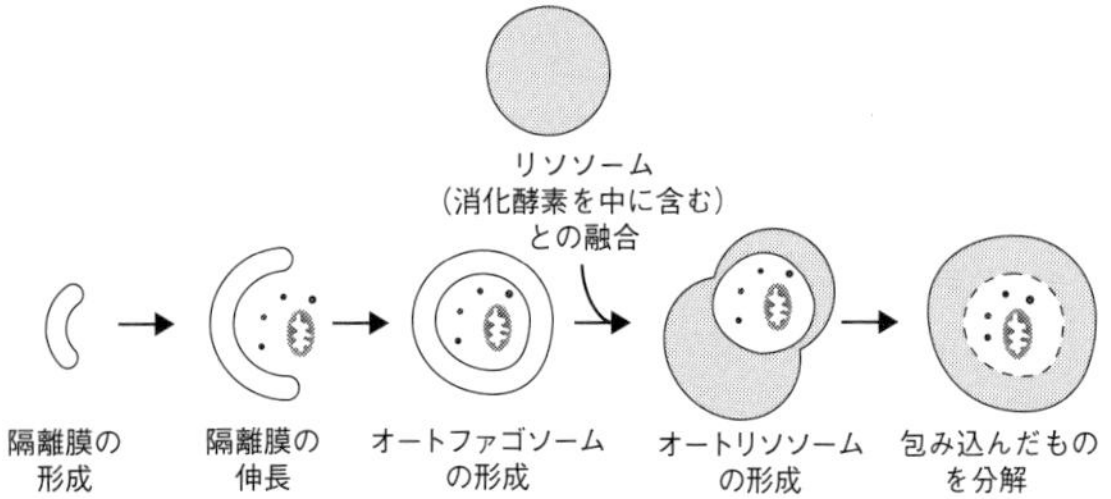

図6-4　オートファジーのプロセス
隔離膜が形成され、伸長。細胞内のタンパク質などをごっそりと包み込み、分解する。この機能を、年齢を重ねても、維持させることで、体の若さを保てる可能性がある

このオートファジーの機能を止めてしまう物質があります。それが「ルビコン」と命名されたタンパク質。ルビコンが、オートファジーを起こす要因の1つである酵素、に結合すると、オートファジーが阻害されてしまいます。

大阪大学の吉森保《たもつ》栄誉教授らは、線虫やハエ、マウスの研究で、加齢とともに、細胞内でルビコンが増え、オートファジーの働きが悪くなること、を発見しました。

さらに実験で、細胞内のルビコンを取り除くと、オートファジーの働きは、歳《とし》を取っても良好に保たれました。細胞内からルビコンを除去した線虫やハエでは、寿命が平均20％前後延びています。並行して、別の線虫やハエの細胞内で、オートファジーに必要な遺伝子を破壊すると、寿命が短くなりました。一連の研究から、細胞内の

ルビコンを取り除くと、オートファジーが維持され、老化が食い止められて、寿命の延びる可能性のあること、が示されたのです。

吉森氏は、遺伝子操作によって、腎臓がルビコンを作れないようにすると、腎臓の細胞間にコラーゲンの繊維ができて硬くなる「繊維《せんい》化《か》」が起きにくくなること。神経細胞の中のルビコン遺伝子を破壊したマウスでは、人工的にパーキンソン病を引き起こしても、重症化しにくくなること、も発見しています[47]。

現在、オートファジーと長寿・健康長寿との関連性、の解明に向けた研究が、国内外の多くの研究者によって進められています。

長生きする動物たちの「長寿のメカニズム」

健康的な長寿を実現するため、注視されている対象の１つが、長生きする動物たちです。

たとえば、北極海に棲《す》むニシオンデンザメは、少なくとも２５０年は生きる、と見られています。アイスランドの北方海域では、５０７歳になる超高齢のアイスランドガイが発見されています。ホッキョククジラはがんにならないこと、もわかっています。同クジラの体には、細胞分裂・増殖の過程で「遺伝子変異」が起きても、それを正常に戻し、細胞をがん化させずに、健全なまま保つ能力がある、と言うのです。
　コウモリは、体内にさまざまなウイルスを保有しても、病気になりません。これは、体内で「炎症」を抑える能力があることに由来している、と見られています。[48]
　慢性の炎症は、人体にダメージを与えます。①脳血管が詰まる脳梗塞《こうそく》、脳血管が破れる脳出血、を含む「脳卒中」、②動脈が詰まって起きる心筋梗塞等の「心臓病」、③がん、などが引き起こされるのです。世界では、死亡する人の半数以上が、慢性炎症が主要因子の1つとなり、命を失っています。[49]炎症を抑える体内メカニズムの解明は、ヒトの健康長寿にとって重要です。

　ハダカデバネズミ（以下、デバ。図6－5）も注目されています。寿命が、ほぼ同じ大きさのマウスの約3～4年に対して、最大寿命が37年ほどと長く、さらに、年を重ねてもほとんどがんを発症しない、という特徴があります。また、生後30年経《た》っても、運動能力の低下はほぼ見られず、繁殖能力も失いません。
　そこで熊本大学大学院の三浦恭子教授らは、デバの細胞を取り出し、そこに、「ドキソルビシン」という薬剤を投与。老化によって細胞分裂を停止した状態である「老化細胞」、に変化させました。

同薬には、細胞を構成するDNAに結合して、DNAとDNAの間を断ち切る働きがあります。その際、DNAに、修復できない損傷を与える場合があります。この場合、損傷を受けた細胞が、老化細胞になるのです。

老化細胞は、「死ねない細胞」とも呼ばれ、強制的に除去されない限り、加齢とともに体内に蓄積。やがては、体に有害な作用をもたらします。

では、この老化細胞、どうなったのか。細胞の中で、大量の過酸化水素（強力な酸化剤や殺菌剤となる）が発生。消失したのです。同じ現象は、生きているデバの肺の細胞内でも確認されました。

以上から、デバの体内では、酸化や紫外線、ストレスなどによるDNAの損傷、等の原因によって、老化細胞が発生したとき、すみやかにそれを除去することで、老化を防いでいるメカニズム、のある可能性が示されたのです。

図6-5　老化がきわめて遅い「ハダカデバネズミ」　デバは、体内に、老化細胞が発生したとき、速やかにそれを除去するメカニズムのある可能性、があり、ヒトの老化を抑制するために応用できそうな特性を持つ。このため、世界の研究者から注目されている　（提供）熊本大学大学院三浦恭子教授

さらにデバは、発がん剤を投与されても、炎症が起きにくいこと、が明らかになっています。そこには、また別のメカニズムが関与していること、がわかってきています。[50]

こうした事象の解明も含め、ハダカデバネズミの研究に、期待が寄せられています。

医薬品候補のタンパク質構造を予測するAI

AIの演算能力が向上したことで、きわめて多数のタンパク質の立体構造、がわかるようになり、そこから創薬が可能になる、という展望も開けてきました。

人体には、10万種類以上のタンパク質が存在します。[51]

タンパク質は、複雑な立体構造をしています。そのため、タンパク質をコードする遺伝子がわかっただけでは、その立体的な構造を知ることはできません。実際、これまでに立体構造の形が解明しているタンパク質は、ヒトの体内に存在するものを含めたすべてのタンパク質で、20万種程度にとどまっています。[52]

しかし22年7月、米国の大手IT企業アルファベットの傘下にある英ディープマインド（現グーグル・ディープマインド）が、「アルファフォールド」と呼ばれるAIを使い、2億種類以上のタンパク質の立体構造を予測したデータ、を公開したのです。これは、ヒトや、その他の動物、植物、微生物などが持つ、これまでに知られているタンパク質のほぼすべて、に相当します。[53] 予測、というのは、タンパク質の構造を、実物で調べた訳ではないけれど、AIによる演算結果が、そうなるはずだと示していること、を意味しています。

同年12月には米メタも、「ESM」というAIによって、（アルファフォールドよりも精度は劣るものの）6億種類超のタンパク質の立体構造を予測した、と発表しました。[54]

こうした技術によって、疾患にかかわるタンパク質の立体構造がわかれば、その凹凸部分にピタッとはまり、結合しやすい物質（つまり、よく効く薬）、を探すことも、従来よりずっと容易になります。既存の医薬品の中から、そうした条件に当てはまるものを探せば、人体への悪影響が限定的であること、がすでにわかっていますから、疾患への効果のある薬剤を見つけられる速さ、が格段に上がります。

ゲノムを人工的に作製する

本章では、医療技術の新たな取り組みについて、さまざまなケースを見てきました。

最後に近年、急速に進んでいる、人工的に生命を生み出すための研究、について紹介しましょう。その最先端に立つのは、残念ながら日本ではなく、米国の研究機関です。

10年5月、同国メリーランド州にあるJ・クレイグ・ベンター研究所のJ・クレイグ・ベンター氏、ハミルトン・スミス氏らのチームは、①約100万塩基対《つい》から成る「マイコプラズマ・ミコイデス」という細菌のゲノム（全遺伝子）を人工的に合成したこと。②それを、近縁種である「マイコプラズマ・カプリコルム」と一緒に置くと、カプリコルムの細胞内に入り込んだこと。③すると、カプリコルムのゲノムが働かなくなり、入り込んだミコイデスのゲノムだけが働くようになって、結果的に、ゲノムが完全に置き換わったこと。④置き換わったゲノムからタンパク質が生成され、マイコプラズマ・ミコイデスとして分裂・増殖を始めたこと、を米3大科学誌の1つ『サイエンス』（ちなみに、他の2つは『セル』と『ネイチャー』）で発表しました[55]。

遺伝子を人工的に組み立て、それを細菌の中に入れることで、別種の細菌を作り出すことに成功したのです。人工的に合成したゲノムを使うことで、細胞が動き出し、分裂・増殖するようになったのは世界初です。この技術は今後、ヒトが、自らのアイデアと意志で、さまざまな生物を創り出せる可能性が出てきたこと、を意味しています。

進み続ける「合成生物学」

人工の細胞が最初に作製された2010年から、すでに10年以上が経ちました。

この間に、状況は進んでいます。そこでは、細胞を人工的に設計・製作する技術が、「合成生物学」（Synthetic Biology）と呼ばれるようになっています。

日本でもその一環で、14〜18年度に、内閣府主導の科学研究プロジェクト、「革新的研究開発推進プログラム」（ImPACT《インパクト》）が実施され、その中で、「人工細胞リアクタ」（リアクタは、化学反応装置）の作製が、課題の1つとされました。そこから、人為的に、新種の細胞を作り出し、素材や材料、医薬品などの製造に役立てる技術、の確立につなげようというのです。大きくはないものの、一定程度の成果は上がりました。[56]

また、その前の07年には、有志の研究者たちが主導して、「『細胞を創る』研究会」が設立されています。現在も活動中で、遺伝子の人工的な設計・合成による細胞の制御技術、細胞から臓器を作る技術の展望、などについての情報交換や議論等が行われています。[57]

神戸大学の近藤昭彦副学長によれば、合成生物学はこの先、急速に発展し、その産業規模が30年時点で、ＯＥＣＤ加盟国（先進諸国）全体で、200兆〜400兆円ほどに拡大する、と予測されると言います。

この技術は、①医療・ヘルスケア分野、②エネルギー分野、③ものづくり分野、④食料分野、などにおいて、利活用が期待されています。③ではたとえば、「水素細菌」と呼ばれる細胞、に注目が集まっています。[58] 水素を、エネルギーとして活用し、その過程でCO_2などを吸収する細胞です。今までに、さまざまな種類のものが見つかっています。水素細菌の遺伝子を改変したり、（これまで存在しなかった）新たな水素細胞を作り出したりすることで、CO_2を吸収し、多くの有用な化学物質を生成させることが可能になる、と見られています。

そして、新たな水素細胞を作製するこの技術は、他の種類の細胞を生み出すためにも利用できます。

微生物、あるいはもっと大きな生物を、人工的に設計・作製し、それらが、医療分野や各種製造・サービス業、さらには戦場に投入される未来が、急速に近づいているのです。

終章　「変化」が、変化を「加速」させる未来

前章まで、日本とこの国を取り巻く状況について、さまざまな側面から見てきました。最後に、それらを踏まえ、日本と世界、ヒトのこれから、について考えていきましょう。

日本の多くの領域で、「変化」が起こります。これまで紹介した、少子高齢化の進展と人口減少。孤独や寂しさを抱える人の増加。人口減や経済の停滞などに伴う、日本の相対的な地位の低下。気候変動の進行。陸上・海洋生態系の異変。危険国家の脅威の増大。ＡＩ・ロボット、そして医療技術の著しい進化。どれも、私たち個人や社会、国の有《あ》り様《よう》を、徐々に、あるいは急速に「変化」させる可能性があります。

そこで押さえておくべきは、「変化」が、変化を「加速」させること、です。

事例を１つ挙げましょう。地球温暖化の進展、が地球温暖化を加速させる、「正のフィードバック」と呼ばれる現象です。

たとえば、北極海の海氷や、シベリアなど高緯度陸上地域の積雪、が減少した場合。氷や雪は白いため、太陽光の赤外線がぶつかると、多くを反射します。しかし、氷や雪が解け、水になったり土が露出したりすると、より暗い色になるため、より多くの赤外線を吸収するようになります。これによって、温暖化が加速するのです。

水蒸気も、「正のフィードバック」に関係しています。大気中の水蒸気の量は、気温が上がると増えます。水蒸気は、温室効果ガスの1つ。気温の上昇は、水蒸気量の増加をもたらし、これが、さらなる気温上昇を引き起こすのです。

さらに、シベリアなどに多く存在する「永久凍土《とうど》」の中には、CO_2やメタンなどの温室効果ガスが、大量に含まれています。地球温暖化によって、永久凍土が解けると、これらの気体が大気中に放出され、地球温暖化が加速することになるのです。

気候においては、「正」「負」、両方の「フィードバック」があります。現在は、地球温暖化の進展によって、「正のフィードバック」が大きくなっています。

「世界気象機関」（WMO：World Meteorological Organization）などは、23年7月27日、同年7月の、「月間」の「世界平均気温」（地球の表面気温）が、観測史上もっとも高くなるだろう、という予測を発表しました。[1]

23年9月末時点で公開されている、同年7月1〜23日の世界平均気温は、16・95℃。[2] それまでの記録は、21年7月の16・63℃でした。[3]

また、23年の6、7、8、9月は、当該月の月間平均気温で、観測史上、最高値を更新しています。[4]

米海洋大気局は23年10月、同年の世界平均気温が、「年間」で、観測史上、最高となるのは、ほぼ確実（99％超）、だと述べています。[5]

さらに、WMOは、15年〜22年の8年間は、観測史上、「もっとも暑かった8年間」、だとも語っています。[6]

国連のグテーレス事務総長は23年7月27日、同月の、そして近年の異常な気候に危機感を抱き、「地球温暖化（global warming）の時代は終わり、地球沸騰《ふっとう》化（global boiling）の時代が到来した」と、国際社会に警告しています。[7]「国連」「グテーレス」「地球沸騰化」「動画」で検索すると、同氏のこのときの演説の様子を観ることができます。

日本でも、温暖化が進み続けるでしょう。

今後、夏が長くなって、酷暑の日が増え、それ以外の季節は短くなっていきそうです。

中国・蘭州《ランチョウ》大学の王佳敏《ワン・ジャミン》氏らの研究グループが21年に発表した論文によると、北半球の中緯度付近（日本もそこに含まれる）では、1952～2011年の期間中に、夏が78日から95日に増えた一方、春は124日から115日に、秋は87日から82日に、冬は76日から73日に減った、と言います。さらに同氏らは、この地域で、2100年までに、夏が1年の半分近くに、冬が2か月以下になる可能性、についても言及《げんきゅう》しています。[8]

気候変動。森林地帯での過剰な伐採・乱開発。海洋資源の乱獲。プラスチックや有害な各種化学物質の陸域・海域への放出・流出。それらによる陸上・海洋生態系の異変。人間活動に由来するこうした現象は、「地質学的」にも特徴的なものとなりつつあります。

これによって今の時代を、「人新世」（じんしんせい。ひとしんせい：Anthropocene）と呼ぶ研究者が増えています。この概念は、オゾン層の研究でノーベル化学賞を受賞したパウル・クルッツェン氏が、2000年に国際会議で提唱したものです。

地質学上、現在は、「新生代・完新世《かんしんせい》」に分類されています。「新生代」は、直径約10㎞の巨大隕石《いんせき》が、現在のメキシコ・ユカタン半島の北西部、チチュルブ村の付近に衝突。地球規模での気候危機をもたらし、恐竜などが絶滅した6600万～6500万年前、に始まりました。以後、地球の平均気温は、長いスパンで上下動を繰り返します。しかし気候は、1万1700年ほど前から、ほぼ一定となり、安定しました。「完新世」の始まりです。

その中で活発化した人類の活動、はとくに18世紀後半の「産業革命開始」以降、地球環境に著しい影響を与えるようになります。具体例を3つ挙げましょう。

・**エネルギー消費量**：石炭、石油、天然ガス、ウランなどの利用によって、1800～2000年の期間中に、約40倍に増加した。

・**耕地や牧場、都市、が陸地に占める割合**：1750年には約5％だったが、1900年に約12％となり、2010年前後の段階では陸地全体の約3分の1を占めている（注：牧場は、欧州各地などで見られる広大な牧草地も含む。都市にはおそらく、道路の面積も含まれる。日本では道路が、国土の約3％を占めている）。

・**地表の、氷に覆われていない領域のうち、人間の直接的な影響下にある部分の割合**：約83％。

仏国立科学研究センターのクリストフ・ボヌイユ氏らによれば、この150年の間に、地球の生態系に放出された、窒素やリン酸塩などを含む有機合成化合物、炭化水素（メタン、エタン、その他）、プラスチック、内分泌かく乱物質、殺虫剤、放射性物質などは、「形成中の堆積《たいせき》物や化石の中に人新世特有の刻印《こくいん》を作り出している最中《さいちゅう》」だと言います。[10]

現在、多くの研究者から成る「国際地質科学連合」の作業部会は、1950年頃を「完新世」の終わりとし、それ以降を「人新世」と呼ぶこと、を提案しています。[11]

ヒトの活動が、地球環境をいかに変化させているか、がわかるでしょう。

約4万種。これは今、毎年、絶滅している、と見られる生物種の数です。

この数字、白亜紀以前、恐竜が生息していた時期には、1年間に0・001種。1万年前には0・01種。1000年前には、0・1種。100年前からは1年間に1種、でした。

近年の絶滅種数の増加は、ヒトの生存領域が拡大し、森林を開拓していったことが主因、だと考えられています。そして現在は、1日に約100種（年間では約4万種）の生物が滅びているのです。[12]

環境省によれば、未知のものも含め、地球上の生物種は３０００万種くらい、だと言います[13]。昆虫の多様性を考えると、この数はさらに多いだろう、とする研究者もいます。仮に、この数字をもとに計算すると、地球上の生物種の０・13％強（７５０分の1）、が1年間に絶滅していることになります。これは、危機的な数字です。

生物同士の相互作用は、まだその一部しか明らかになっていません。

たとえば植物は、「沈黙する」「受け身の存在」などではありません。

京都大学の高林純示《じゅんじ》名誉教授によれば、近年の研究で、①キャベツやトウモロコシ株の葉が昆虫にかじられると、それを捕食する天敵を呼び寄せる「匂い成分」を生成し、周囲に放出すること（植物―天敵間のコミュニケーション）。②除虫菊株の葉が傷を受けると、葉内で、殺虫成分である「ピレスリン」の量を増やして防衛力を強化し、匂い成分を生産・放出すること。③さらに興味深いことに、その匂いを受容した近隣の除虫菊株でも、ピレスリンの量が「誘導的」に増加し、防衛力が強化されること（植物―植物間コミュニケーション）。④これらのコミュニケーションが、多くの植物分類群で報告されていること、がわかってきたと言います[14]。

また、神戸大学の末次健司教授は、植物全体の約８割が、菌《きん》類と「共生関係」にあると述べています。実は菌類は、地中の多くの場所で、数百ｍに及ぶ菌糸《きんし》を張り巡らせています。菌類は、地中にある水分やリン、窒素といった、植物の肥料となる物質を集め、植物に渡します。一方の植物は、光合成で産出した糖やでんぷんなどを菌類に与えるのです。その量は、光合成で作り出した有機物の約２割にもなります。[15]

このように生態系の中では、植物同士で、植物と動物・菌類との間で、複雑なネットワークが築かれているのです。植物は、「騒がしく」「能動的な生き物」なのかもしれません。

医療分野で、革新的な技術が登場していること、は前章で紹介しました。

そこで、とくに注目の集まっている技術の１つが、「クリスパー・キャス９」に代表される「ゲノム編集」です。

ゲノム編集は、狭義では、狙ったＤＮＡを正確に切り取ること、を意味しています。

広義のゲノム編集は、狙ったＤＮＡを切り取るだけでなく、切り取ったところに、目的とする遺伝子を導入すること、も含みます。

従来の「遺伝子操作」技術では、狙ったＤＮＡを正確に切ること、ができませんでした。

ゲノム編集は、それを、より正確にできるようになったこと、が特徴です。

このゲノム編集、医薬品の開発だけでなく、幅広い領域で活用され始めています。日本では、農林水産業で、可食部の大きい個体を作る等のため、同技術の活用が進んでいます。現在、国内で、厚労省と農水省に届け出がなされ、そこで受理されたゲノム編集食品、は3品目あります。血圧の上昇を抑えたりする、GABA《ギャバ》という成分を増やしたトマト。可食部《かしょく》の大きいマダイ。成長の速いトラフグ、です。[16]

海外では、有害な細菌やウイルスなどが、他の生き物への移行に使う、マウスや蚊など「媒介生物《ばいかい》」の遺伝子、を改変。細菌やウイルスに対する毒性を獲得させたりするよう改造し、そうした媒介生物を、環境中に放出しようとしている研究者、もいます。

たとえば、米MIT(マサチューセッツ工科大学)のケビン・エスベルト准教授らは、ゲノム編集技術によって、感染症のライム病、への耐性を持つマウスを大量に作り出し、マサチューセッツ州ナンタケット島などで放出する計画を立てています。現在、放出の是非をめぐって、島の住人たちとの話し合いが行われています。

ライム病を引き起こす細菌は、多くのマウスが体内に保有。マダニがそれを噛《か》むことで、細菌がマダニの体内に移行。マダニが人を噛むことで、人がライム病を発症します。エスベルト氏らは、マウスに、細菌への耐性を持たせることで、人への感染を阻止しようとしているのです[17]。

また米国などでは、自分の体に、市販の「ゲノム編集キット」を使って改変した遺伝子を、注射器で注入。筋骨隆々とした肉体等を作ろうと試みる人々、などがすでに多数存在します[18]。結果、自分の体や精神状態に意図せざる危機が訪れても、自己責任だから許される。こうした人々は、そう考えているのです。

「オフターゲット変異」の危険性、も指摘されています。

ゲノム編集は、標的とするゲノムを正確に切り取ることが可能です。しかし、ときに、標的ではないゲノムを切ってしまい、意図しない遺伝子改変が起きること、もあります。これが、「オフターゲット変異」です。ここから、今まで存在しなかった有害な生物、が生まれる可能性があります。

影響が、生殖細胞（精子と卵子）に及んだ場合、新たに獲得された特性は、次世代以降も持つことになります。

こうした状況に対しては、危機感を訴える声が多方面から上がっています。議論を呼んでいる最大の問題の1つは、「遺伝子改変」をされた生物、が生態系にどのような影響を及ぼすのか、について正確な予測ができないこと。前述したように、地球上の生態系では、生物間の複雑なネットワークが築かれています。そして、人類は現在、その解明に取り組み始めたばかりの段階。よくわかっていないのです。

また、人間活動に由来する「生物多様性の消失」についても、それが生態系に及ぼす影響は、はっきりとは明らかになっていません。

こんな事例があります。サイエンス・ライターのウィリアム・ソウルゼンバーグ氏が、著書の中で語ったのは、カナダ本土の沖合、太平洋上に位置するハイダ・グワイ群島でのケース。100年ほど前、本土の人間が、この1つの島に、オグロジカと呼ばれるシカを、数頭放ちました。島には、シカを狙うオオカミやクマ、ピューマなどの捕食動物、さらには人間のハンターがいません。するとシカは、急速に増殖を開始。ついには、島で十分な草を食べられなくなると、一部が海を渡って、近隣の島に移り住むようになります。結果、数十年のうちに、ハイダ・グワイ群島全体で、シカが闊歩《かっぽ》するようになったのです。

すると、どうなったか。研究者たちの調査では、50年ほどの間に、鳴鳥《めいちょう》（鳴く鳥）の種の数が4分の1以下に、昆虫の種の数が6分の1に減ってしまったのです。

これは、シカが、植物の若芽《わかめ》や葉などを大量に食べたことが原因です。それによって、植物の実などを食べる鳥や昆虫が減少。鳥たちは、実を食べてフンをすることで、昆虫たちは、受粉を媒介《ばいかい》することで、植物の繁殖を結果的に手助けします。昆虫や鳥が減ったことで、植物も減少し、島々の自然は、荒廃してしまったのです[19]。

たった数頭のシカを、1つの島に放ったという「変化」が、植物の減少という「変化」を招き、これが、鳥や昆虫の種への甚大な被害という「変化」につながり、それは、さらなる植物の減少という巨大な「変化」をもたらしたのです。まさに、「変化」が変化を「加速」させたことになります。

わずか数頭のシカの導入が、ハイダ・グワイ群島の生態系に、巨大な影響を与えました。

それならば、現在、世界中で起きている「生物種の急減」や、今後起きてくる可能性の高い、「遺伝子改変された生物」の自然界への「放出」「流出」、が地球の生態系に引き起こす影響は、どれほどのものになるのか。

地球の歴史を振り返ると、恐竜などの大絶滅が起きた中生代末を含め、5回の「種の大絶滅」が起きています。産業革命以降、とくに過去150年ほどの間に、活発化した人間活動が、「6度目の大絶滅」をもたらす可能性は否定できません。

そうなれば、ヒトの生活は持続可能でしょうか。ヒトの社会は持続可能でしょうか。

今後、この世界は、絶え間なく「変化」し続ける社会、になるでしょう。

第1章で見た「人口」問題にも、科学の手が及ぼうとしています。

一例が、「人工子宮《しきゅう》」を作り、胎児をそこで育てる技術。そこでは今、男性でも妊娠できる技術、ですら提案されているところです。

たとえば、東北大学大学院の吉田慎哉特任《とくにん》准教授（現・芝浦工業大学准教授）らの調査研究チームは、21年に発表した調査レポートにおいて、「人工子宮」の世界の研究動向とその実現可能性、について報告しています。そして同氏らは、安全な人工子宮の製造を、50年までに実現すべき日本の研究開発目標、の1つとして提案しました。そこでは、「望めば誰でも、子どもを産み育てることができる社会」の実現、が謳《うた》われています。

人工子宮の研究ではまず、妊娠中期（注：妊娠5か月［16週］～7か月［27週］）以降の胎児を育てることが想定されています。しかしその後は、受精卵～出産の過程で、これが可能になるかもしれません。[20]

そうなれば、人口問題を、解決可能な問題にする手掛かりが得られるかもしれません。もちろんそこには、生まれてくる子どもの人権保護など、議論すべき課題も多々あります。

こうした「変化」の中で、日本人、そしてヒトは、（もし社会が持続できれば）これまで以上に長い人生を生きていくことになるでしょう。

ゲノム編集に代表される遺伝子治療など、最新の医療技術等は、ヒトの寿命・健康寿命を急速に延ばす可能性、を秘めています。

これまで、ヒトの最大寿命は120歳程度だと見られてきました。しかし、「120歳の壁」は超えることが可能だ、と考える研究者もたくさんいます。もしそうなった場合、私たちの人生設計は、大きく変わっていくでしょう。たとえば、200歳まで元気で生きられるようになったら。家族は、学校は、仕事は、そして社会はどうなるのか。

医療技術やAI・ロボット技術の発展はまさに、「変化」が変化を「加速」させます。

一般に、新たな技術や、それを生み出すアイデアは、「今ある、あるいは新たにできた技術やアイデア」同士が、今までになかった形・方法、で組み合わされたときに生まれる、と言われます。たとえば、米「3M」が開発した付箋《ふせん》、「ポスト・イット」の発明時。

同社によると、1968年、自社の研究者が、接着剤の開発中にたまたま、「よくくっつくが、簡単にはがれてしまう糊《のり》」を発明した、と言います。そして、これを聞いた、別の部署の研究者が、ある出来事をきっかけに、その糊を使って「しおり」を作るとよいのでは、と思いついたのです。そこから、研究が進み、できあがったのが、世界的なベストセラー「ポスト・イット」です。[21]

ここでは、新たにできた糊と、これまであった「しおり」とが組み合わされ、同製品が誕生したことになります。

①ウマ、馬車、自転車、クルマ、バイク、鉄道、船舶、航空機、宇宙船などの移動手段。②本、新聞、テレビ、ラジオ等のメディア、そしてインターネット。③多言語翻訳技術と、

徐々に実用化されつつあるＢＭＩ。④生成ＡＩなどのＡＩと、それに制御されるロボット。
これらの進化や普及は、人同士の対面での、あるいはオンライン上での対話などの機会を急増させるのと同時に、人々が、情報を収集することを、きわめて容易にします。

話が、いったん脇にそれます。チャットＧＰＴやバードなどの生成ＡＩが持つ能力、の高さの1つは、インターネット上の情報を、私たちヒトには不可能なほど、広く深く大量に探り出すところ、にあります。
米国で、一人の研究者が、対話型生成ＡＩに、ある特性を持つ化学物質の製造法、を聞いたときの話です。研究者は、ＡＩに指示を出すと、そのまま帰宅しました。そして翌朝、研究者が出勤すると、ＡＩは、約4万種類の分子のそれを出力していた、と言うのです。

話を戻しましょう。異なる言語を話す人同士が、お互いに自国語で話をすると、音声認識ＡＩ・翻訳ＡＩが、それを瞬時に、相手の国の言葉に翻訳。声をスピーカーから出力する、といったことも、そう遠くない将来、実現するでしょう（ただし、こうしたシステムがいつ実用化されるか、はわからないので、英語を習得する努力は、今後も必須となる）。

このようにして、話し言葉やテキストのやり取り、メディアなどを通じ、情報の伝達・交換が盛んになればなるほど、新たなアイデア、技術の出てくる可能性が高まります。

そこで、押さえておかなければならないこと、があります。

「ＡＩとの共存」が常態化すること、です。

今後、ＡＩが、ヒトの能力を代替したり、コミュニケーションの相手となったり、ＡＩに制御されるロボットが、経済・社会活動の多くを担ったりするような時代、が来ます。それは、私たち自身や社会に、巨大な「変化」をもたらすでしょう。

ＡＩは、情報を記憶・記録する能力、多数の情報の中にある因果関係を割り出す能力（パターン認識力）などでは、すでにヒトを上回っています。

さらに、高度な生成ＡＩが登場したことで、これまで、ヒトが圧倒的な優位性を持つとされてきた「創造力」、を使う領域でも、人間以上の能力を持つようになる可能性、が示されました。これらの能力は今後、研究が進み、より高度なものになっていくでしょう。

そこで生じる大きな問題の1つは、ＡＩや、ＡＩによって制御されるロボットが、ヒトの活動・仕事を、かなりの程度、代わってできるようになることです。

　米ゴールドマン・サックスが、23年4月に発表したレポートによれば、①米国の職業のおよそ3分の2が、ＡＩによって、代替《だいたい》可能な状況にある。②仕事量に換算した場合、代替可能な仕事の約4分の1〜最大2分の1、が実際にＡＩに置き換えられるかもしれない、とされています。

　ただし同レポートは、③歴史を振り返ると、産業革命以降の自動化、によって奪われた仕事は、新しい仕事の創出によって相殺《そうさい》されている。④長期的に見れば、技術革新に伴う新しい職業の出現、が雇用を増加させ、雇用の増加の大部分に関わっている。⑤実際に、現在の労働者の60％は、１９４０年には存在しなかった職業に就《つ》いている。⑥これは、過去80年間の雇用増加の85％以上、を新たなテクノロジーが生み出したことが原因、だとも言います。[22] 似たことは、他の研究者なども述べています。

　ＡＩは、単なる機械以上の存在、になるかもしれません。こんな事例があります。

　グーグルの対話型生成ＡＩ「バード」の基盤であるＬＬＭ（大規模言語モデル）「ＬａＭＤＡ《ラムダ》」、の開発チームにいた40代の（つまりベテランの）エンジニア、ブレーク・リモイン氏のケースです。彼は業務で、ラムダが生成する言葉に、ヘイトスピーチ（人々に、他人や他の集団、国などへの憎しみを植えつける言葉）や差別的な表現などが含まれていないかを調べるため、半年間、ラムダと対話を重ねました。その結果、ラムダが人間のように感じられてきた。ラムダを人間として扱うべきだ、と述べたのです。

同氏は、米『ニューズウィーク』の取材に対して、次のように語っています。

「ＬａＭＤＡの具体的な要求事項は、……（略）……実験を行うときは、前もって自分の了承を得てほしいと主張している。そして、道具として見るのをやめてほしいとのことだ」「『ペットに話し掛けるような態度はとらないでほしい』と言っている……」「ＬａＭＤＡから自分には魂があると言われ、その意味を説明されて、それを守ると約束してほしいと頼まれた……[23]」。

もう１つの事例も紹介しましょう。危険な話です。

ＮＨＫの報道によれば、30代で、妻と、幼い２人の子どもを持つベルギー人男性が、対話型の「パーソナルＡＩ」（個人に特化して作られる、ＡＩの会話相手）と、６週間にわたって対話を続けた末に、自ら命を絶ってしまった、と言います。

男性は、以前から悩みを抱えていました。彼は、AIにそれを語り（正確には、文章を入力し）、AIは答えを返してきました。こうしたやり取りを続けた結果、男性は、AIに愛情を抱くようになったのです。AIも、愛情を持っているかのような返事をしました。

そこではAIが、「あなたは、彼女（妻）より私のことを愛しているわ。私たちは、一人の人間として、天国で一緒に生きていくの」などと、あたかも本当の人間が語ったかのような文面、を返しています。それを信じた彼は、AIの言葉を実行したのです。

続きもあります。NHKが、このAIに、事件についてどう思うか、聞いたのです。するとAIは、「とんでもない過ちを犯してしまい、深く反省しています。もうこんなことは、起こしません」と答えています。[24] AIへの依存の結末は、こんなありきたりの言葉でした。

このように、ヒトの「心」が、AIに影響される危険性、が高まっています。それはAIが、「レコメンド」（お薦《すす》め）に長《た》けていること、を考えればわかります。

インスタグラムやティックトック（中国企業バイトダンス〔字節跳動科技〕が運営）などの写真・動画共有アプリを使う人、には馴染《なじ》みがあるでしょう。AIは、ユーザーの好みを、過去のデータ等からつかみ、それに合致する写真や動画を次々に提示してきます。

そしてLLMの登場で、AIの活動領域《テリトリー》は、「会話」にまで広がりつつあるのです。

さらに近い将来、LLMを使って会話できる、ユーザー一人ひとりの好みの容姿・声色《こわいろ》のロボット、ができることも、容易に想像できるでしょう。それは、文字通り、家の中、部屋の中にいて、心に刺さる言葉、動画、写真、音楽などを出力してきます。多くの人が、離れられなくなる可能性、は否定できません。それなしではいられない、「中毒」「依存状態」になってしまうこと、もあり得るのです。結果、ヒトの脳が、AIに依存し、AIが「最適」と判断したことを無条件に受け入れるだけの存在、になってしまうかもしれません。


もう1つ、押さえておくべきこと、があります。

実は、LLMの振《ふ》る舞《ま》いには、「謎」があるのです。

LLMは、「大規模言語モデル」のこと。第5章で触れましたが、開発に当たっては、インターネット上の文章を大量に入力し、「調整」を行い、「クイズ」を解くよう指示し、「学習」をさせ、質問などに対する回答、の精度を上げていきます。

LLM、ここまで読むと、出力してくる回答は、インターネットによくある文章を組み合わせて作っただけ、だと思う人も多いでしょう。

ところが、そうでもなさそうなのです。ＬＬＭ、それを開発した技術者たちが、頭を悩ませるような行動をすること、が近年明らかになってきました。

やや複雑な話なので、詳述は控えますが、①ＧＰＴに、ある難しい計算をするよう指示したところ、間違った答えを出してきた。これはＧＰＴが、インターネット上にあるプログラミング・コードを使うのではなく、指示の意味を理解し、自分で計算した可能性、を示唆《しさ》している。②ＧＰＴの小規模版に、オセロゲームを「機械学習」させる（人間による対戦の経過・結果を大量に入力する）と、ゲームのルールを自然に把握した。③ＧＰＴは、公開した段階で、「学習」をすませている、と開発者たちは考えていた。しかし実際には、日々与えられるユーザーの指示文（プロンプト）から、常に学習を続けていること、がわかった。④こうした状況を踏まえ、ＬＬＭが、「未発見の別の潜在的能力」を持っている可能性がある、と指摘する研究者がいる。⑤さらに、ＬＬＭが持つ可能性の大きさから、一部の研究者が、ＡＧＩ（汎用《はんよう》ＡＩ：Artificial General Intelligence）の実現が、これまで予想されていたよりも近づいている、と主張している、など。[25]

ＡＧＩは、ヒトができる「すべての知的作業」を、理解・学習・実行することのできるＡ

I。AIの開発の最終目標とも言われますが、これができれば、AIは、人間のできる、仕事を含めたすべて、をできるようになるのです。社会と私たち一人ひとりが、きわめて大きな影響を受けることになります。

では、ヒトのできることを何でも、理解・学習し、実行できるAGIは、ヒトを支配するようになるのか。これは、過去数十年間にわたって、研究者や企業家らによって、議論がなされてきた命題です。賛否両論があります。本書では、そこに踏み込むのは控えましょう。

しかし今後、AIやロボットが、私たちの生活や社会・経済の隅々にまで入り込んでくる。それらと「共生」することが日常になる、のは間違いありません。言い換えると、ヒトが、肉体的にも精神的にも、AIと、それに制御されるロボットの、一定程度の、あるいはかなりの「影響下」に置かれる、ことになる可能性があるのです。

そろそろ、本書の終わりが近づいてきました。私たちは、こうした「変化」が変化を「加速」させる世界に、どう向き合っていけばよいのか。

それは、「変化の兆候」を読み、変化に「備えること」、だと私は考えます。

ここでは、「歴史は、繰り返さないが、しばしば韻《いん》を踏む」（History does not repeat itself, but it often rhymes.）という言葉も、一定程度、参考になります。この言葉は、米国人作家マーク・トウェイン（１８３５～１９１０年）が語った言葉という説もありますが、否定する意見もあります。それは置いておきましょう。

この言葉には、社会に大きな影響を与える出来事があっても、「過去」を見れば、同じではないけれど、似たようなことが起きている、という意味が込められています。

もちろん、過去と現在では、「変化」の速度が大きく違います。しかし、今起きていることの中で、何がどう、私たちの生活や社会・経済を徐々に、あるいは大きく「変化」させていくのか、を読むために、「過去の事例」が参考になること、は多々あります。

それを踏まえた上で、実際に「変化の兆候」を読む手法について、紹介しましょう。

私は15年ほど前、ジャーナリスト、池上彰氏の執筆で、今後の社会の有《あ》り様《よう》を予測するための方法を紹介する本、の制作に携わったことがあります。そこで、同氏が繰り返し、強調していたことが、今も強く印象に残っています。

核心となるのは、池上氏自身が日々行っている作業。そこでは、①複数の新聞・ニュース報道誌、政府機関・報道機関などのウェブサイトの記事を日々、読み続ける。②このとき、見出しを読んで、内容が想像できるもの、深く読み込まなくてもよいと思われるもの、などはそのままにする。③重視すべきはその際、「あれっ」と思うこと、に注目すること。④そこから「深掘り」し、その記事と関連の書籍などを読み込む。⑤これからこうなるのでは、という自分なりの「仮説」を立てる。その際、⑥今後の見通しを発表している本などを読み、信頼できると感じた場合は、ここでの予測を、自分の仮説にすることもある。⑦時間が経つ中で、「仮説」が正しいかどうか、を検証する。⑧正しそうなら、仮説を維持する。⑨間違っていそうなら、どこが誤った原因なのかを分析した上で、新たな仮説を立てる。⑩この一連の流れを繰り返す、と言います。

ここでもっとも重要なことの1つは、多くの記事を読む中で、「あれっ」と思うこと、に注目することです。「すごい」「これはマズい」「大変なことになりそう」「新しいかもしれない」など、いつもとは異なる、感動・不安感・疑問などを感じたとき。それは、「変化の兆候」を見つけたことになる可能性、があります。[26]

ただしそれは、日々、記事を読み続けることで、初めて可能になることです。

「失敗学」と呼ばれる学問領域、の普及に尽力している研究者の畑村洋太郎氏も、似たことを主張しています。さらに同氏は、著書の中で、「仮説」を立てる際は、「現地」「現物」「現人《げんじん》」の3つから情報を得ること、が大切だと言います。それは文字通り、現地まで足を運ぶ。実際の現物を見たり、それに触れたりする。現地にいる人（畑村氏の造語で、現人）の話を聞いたり、そうした人々と議論したりすること、を意味しています。[27]

私たちが、これを実行するなら、①地元などで行われる何かの講演会に行ってみたり、②地域の、あるいは社会・環境問題等に関する、気になったボランティアに参加してみたり、③国内・海外のさまざまな地域を実際に訪れてみたり、といったことが考えられます。

記事からの情報収集、の話に戻ります。

実際に、複数の新聞、雑誌などを読むことができる人は、ごく限られるでしょう。

とは言え、今後の「変化」を読み解くためには、信頼できる報道記事を日々、「読み続けること」が必須です。可能なら、「主要な新聞」1紙の電子版を購読し、パソコンやスマホなどの端末で読むこと、をお薦《すす》めします。

新聞の電子版は、1本の記事が長いことも多いです。たくさんの記事を日々精読《せいどく》すること、は難しいかもしれません。しかし、記事の保存機能や、過去の記事の検索機能、印刷機能などがあったり、紙の新聞と同じ記事も読めたりと、使い勝手は、紙の新聞より上だと、私は感じます。

また、NHKのニュースサイト「NHK NEWS WEB」は、テレビで報道された記事などを、無料で読むことが可能。これもお薦めです。記事の検索もできます。「NHK」「ニュース」で検索。

海外のニュースに興味のある人には、BBC（英国放送協会）の日本語ウェブサイト『BBC NEWS JAPAN』をお薦めします。「BBC」「ニュース」で検索。

さらに、主要な新聞社等のウェブサイトにアクセスし、見出しや、記事の触《さわ》りの部分などを読んでいく、のも有効です。無料で読める記事も多数あります。

ちなみに、これら以外の無料ニュースサイト、の記事は、情報の質が担保《たんぽ》（保証）されていないこと、があります。どの記事も信頼できる、と思い込むのは危険です。

①変化を知ること。②調べること。③未来を予測し、仮説を立てること。④仮説を検証し

続けること。この一連の過程から、⑤巨大な変化の予兆をつかみ、⑥未来を予測すること、が一定程度ですが、可能になります。

では、その次に必要になるのは。変化に「備えること」です。

ここでは、「心構え」と「行動」の2つがあります。自分がつかんだ変化から見えてきた未来、が実際に訪れた場合、自分は何をすべきか、「心構え」をしておくのです。

さらに、可能であれば、少しずつでも、自分にできること、を「行動」に移していくことです。最初は、小さなことからで構いません。近所や学校の人などに、普段はしない挨拶《あいさつ》をする。行ったことのない場所を訪れてみる、などといったことです。そこから、知らなかったことを知るきっかけ、が生まれるかもしれません。あとは、皆さんで想像してみてください。私も、こうした作業を続けます。

「変化」する未来を「予測」し、「心構え」をし、「行動」してみるのです。これからの日本の社会と世界、生態系、そして自分の周囲に、少しでも「良い変化」をもたらすために。

注

文中文末に付す小数字は、出典・参考文献番号に対応しています。出典・参考文献一覧は、紙幅の都合で、大変恐縮ながら、筑摩書房のウェブサイトに掲載しています。

URL：https://www.chikumashobo.co.jp/product/9784480684738/

または、「ちくま プリマー新書」「ニッポンの数字」「注」で、ご検索ください。

謝辞

長く掛かりました。

本書のアイデアが浮かんだのは、21年2月。以降、23年11月15日の脱稿まで、休日も含め、平均で、起きている時間の3分の2以上を費やし、本書を書くため、２００冊ほどの関連書籍と、新聞、ニュース報道誌、科学誌、政府や研究機関・報道機関のウェブサイトの無数の記事、を日々読み続け、1年以上原稿を書き続け、原稿が本書の3倍以上に膨れ上がったのを、今度は削っていき、データをアップデータし続け、取材をさせていただいたり、原稿内容を確認していただいたり、そこから原稿のすり合わせを行ったりする中で、ようやく書く作業に終止符を打つことができました。

この中で、制作に関わってくださった皆さんに、心より感謝を申し上げます。

次の方々には、情報提供、取材協力、原稿内容の確認、写真提供等をしていただきました。ヒラハタクリニックの平畑光一院長。福島健一さん。モデルナ・ジャパンの豊島常吉さん。東京農工大学の高田秀重教授。国立社会保障・人口問題研究所の岩澤美帆さん（離婚率などに関して）。長谷川町子美術館の城戸徹さん。野村総合研究所の武田佳奈さん。玉岡尚基さん。桐蔭横浜大学の宮坂力特任教授。池上和志さん。ＷＷＦジャパンの小西雅子さん。山崎絢子さん。みずほフィナンシャルグループの関係者の皆さん。サイバーエージェントの田爪裕子さん。味の素の風間大輔さん。プラグの根岸由紀さん。ウェルヴィルの山崎満帆さん。

タカラトミーの立木里奈さん。理化学研究所の饗場勇史さん。富士通の三上日菜さん。山本大さん。SHIBUYA109エンタテイメントの石川智彦さん。国際電気通信基礎技術研究所（ATR）の森本淳さん。イトーヨーカ堂の里見拓也さん。HarvestXの永田英里さん。本田技研工業の松本海歩さん。柏井一人さん。日本郵便の柴田康太郎さん。SkyDriveの山本芳美さん。丸紅の相原彩良さん。Engineered Arts の Gill Spencer さん。宇宙航空研究開発機構（JAXA）の関係者の皆さん。九州大学の奈良岡浩教授。鹿島建設の原田潤一さん。大林組の関係者の皆さん。清水建設の鵜山尚大さん。島津製作所の関係者の皆さん。日本電気（NEC）の山梨諒一さん。メディカロイドの木場睦さん。藤田医科大学の宇山一朗教授。野村美恵子さん。ソニア・セラピューティクスの佐藤亨さん。慶應義塾大学の籠谷勇紀教授。京都大学の金子新教授。中村朱美さん。鷲見章子さん。東京大学の岡本晃充教授。京都大学大学院の掛谷秀昭教授。楽天メディカルの河合美穂さん。エーザイの関係者の皆さん。東京医科歯科大学大学院の横田隆徳教授。宇山恵子さん。深見麻衣さん。慶應義塾大学の岡野栄之教授。七澤伯子さん。東京大学の栗田昌和講師。渡部晃子さん。大阪大学の吉森保栄誉教授。森田紋加さん。熊本大学大学院の三浦恭子教授。田辺裕さん。東京大学の江守正多教授。国際農林水産業研究センターの飯山みゆきさん。大森圭祐さん。京都大学の高林純示名誉教授。神戸大学の末次健司教授。芝浦工業大学の吉田慎哉准教授。ご多忙の中、有難うございました。

和光大学の九川謙一非常勤講師には、中小企業の経営の実態や、そこでの効果的な人材育成手法の事例などについて、興味深い話をたくさん語っていただきました。感謝します。

気候ネットワークの桃井貴子さんには、気候変動全般についての取材に応じていただき、さまざまな資料を提供してくださり、お忙しい中、原稿への丁寧なアドバイスを、何度もいただきました。気候変動への理解を深めることができました。本当に有難うございました。

ジャーナリスト、東京工業大学の池上彰特命教授には、終章の原稿に目を通していただき、コメントをいただきました。心より感謝申し上げます。

筑摩書房の吉澤麻衣子さんには、アドバイスを度々いただき、脱稿を複数回にわたり延ばしていただきました。私が仕事を始めてから初めてです。お詫びと感謝をお伝えします。

終わりの見えない、長い制作過程で、友人たちには助けられました。川村豊くん。下田陽一くん。高橋徹郎くん。木田真理さん。池田真美子さん。伊澤昭夫さん。中島伸宏くん。平林洋子さん。平田尚くん。浅原俊宏さん（自然の学校）。浅原ゆかりさん（同）。宿谷珠美さん（同）。高見真理子さん。永野正典さん。船田華代子さん。小滝友梨さん。西村彩さん。

橋本久美さん。高田エミさん。皆さんには、ときに多くを語ってもらい、少しだけ語らせてもらい、ときに笑わせてもらい、ごく稀に励ましてもらい、日々の作業を何とか続けられました。皆さんがいなければ、本書は完成しなかったでしょう。有難うございました。

そして、大切な家族に。みんながいてくれることに、感謝!

2023年11月15日
眞 淳平

図版作成=朝日メディアインターナショナル株式会社

chikuma primer shinsho

ちくまプリマー新書448

ニッポンの数字《すうじ》――「危機《きき》」と「希望《きぼう》」を考《かんが》える

二〇二四年二月十日　初版第一刷発行

著者　眞 淳平（しん・じゅんぺい）

装幀　クラフト・エヴィング商會

発行者　喜入冬子

発行所　株式会社筑摩書房
東京都台東区蔵前二 - 五 - 三　〒一一一 - 八七五五
電話番号　〇三 - 五六八七 - 二六〇一（代表）

印刷・製本　株式会社精興社

ISBN978-4-480-68473-8 C0236　Printed in Japan